Maria M. Eckert

Projekt Sandkorn

Wenn oben wäre wie unten …

www.verlag-texthandwerk.de

Für Suma

Maria M. Eckert

Projekt Sandkorn

Wenn oben wäre wie unten …

© 2019 Maria M. Eckert

Coverfoto: pxhere.com

Covergestaltung: Uschi Ronnenberg,

ronnenberg-design.de

Lektorat: Maria Al-Mana, texthandwerkerin.de

www.verlag-texthandwerk.de

ISBN

978-3-7482-3599-6 (Paperback)

978-3-7482-3754-9 (e-book)

Druck und Herstellung: tredition GmbH, Hamburg

Sind wir Menschen allein im Universum?

Wenn nicht – wer und wo sind denn all die anderen?

Und was machen die eigentlich den ganzen Tag?

Schauen wir uns doch einfach mal um, was oben und
unten so abläuft.

Und wir als Menschen mittendrin.

Dichtung und Wahrheit

liegen oft sehr nah beieinander.

Inhalt

Fertig

Die Versammlung des Großen Rats war beendet. Die Ratsmitglieder waren die Lichtesten, Ältesten und Weisen des gesamten Universums der zwölften Dimension: direkte Strahlenkinder des Schöpfers, der durch sie wirken wollte. Der Große Rat sorgte für die Einhaltung der kosmischen Gesetze und für die Verbreitung wie Ausdehnung des schöpferischen Geistes.

Ba-Hua-Mnu war eins der jüngsten Mitglieder dieses Rats. Ihm war die ehrenvolle Aufgabe übertragen worden, seine besondere Aufmerksamkeit dem Juwel Erde zu widmen. Die Dame Erde war noch recht jung, und man hatte sie wegen ihrer besonderen Lage am Rand der Galaxie ausgewählt. Sie war zu einem einzigartigen, unvergleichlichen Vorzeigeobjekt geworden, vor allem hinsichtlich ihrer Polarität, Dualität, Diversität und Artenvielfalt. Einfach großartig, absolut einmalig und wunderschön!

Ba-Hua-Mnu war zufrieden. Sie hatten es geschafft! Unter Einhaltung aller kosmischen Regeln, Gesetze, Vorschriften und Wünsche hatten sie zur Besiedlung der Erde ein Wesen erschaffen, das nun endlich erdtauglich war. Ein vollkommenes Wesen, bestehend aus Körper, Geist und einer Seele, die ihrerseits Teil der höheren Seele war. Es war ein langer Weg gewesen. Über 20 Rassen aus den Galaxien hatten zufriedengestellt werden müssen. Denn alle hatten Bestandteile ihrer eigenen DNA in die neue Spezies einbringen wollen. Keine einfache Koordinationsaufgabe, denn jeder Teil davon erzeugte spezielle Wirkungen. Nur kleine Teilstücke oder auch mehrere DNA-Teile würden die Neuschöpfung noch lange nicht zu jenem gewünschten, erdtauglichen

Wesen machen, das sich von bereits auf der Erde lebenden Tieren und weiteren Erdwesen allein durch aufrechten Gang und die Vereinigung von Körper, Geist und Seele unterschied. Nichts durfte fehlen, Gesamtheit und Ausgewogenheit aller Bestandteile waren von grundlegender Wichtigkeit.

Sie würden das neue Erdwesen Erdling nennen. Zum Glück waren einige der galaktischen Bewohner damit einverstanden gewesen, dass ihr Teil der DNA nur schlafend angelegt wurde. Der könnte zu gegebener Zeit ja aktiviert werden, sozusagen als Bonbon für gute Erdleistungen.

Ähnlich wie ein Tier sollte das neue Erdwesen selbstständig agieren können. Zur Bewältigung künftiger Aufgaben sollte es über sechs Sinne verfügen: Hören, Riechen, Fühlen, Sehen, Schmecken und Wahrnehmen. Der siebte Sinn war für den Anfang nur angelegt, konnte jedoch jederzeit aktiviert werden. Der Erdling sollte anpassungsfähig sein, wobei Eigenschaften wie Erdulden-Können, Belastbarkeit und Durchhaltevermögen nicht unwesentlich waren. Dinge wie Bewegungs- und Fortpflanzungs-Fähigkeit und die Denk-Strukturen des Erdlings konnten bereits zur vollen Zufriedenheit geregelt werden, in letzter Zeit war nur noch an deren Feinabstimmung gearbeitet worden.

Ba-Hua-Mnu war äußerst zuversichtlich, dass sich die neue Schöpfung gut integrieren und besser mit den Erd-Bedingungen zurechtkommen würde als seine Vorgänger. Denn die früheren Bewohner der Erde hatten es aus unterschiedlichen Gründen nicht geschafft, dauerhaft auf der Erde leben zu können.

Ba-Hua-Mnu könnte sich jetzt stolz zurücklehnen. Er war immerhin federführend an dieser Aktion beteiligt gewesen, und das ständige Lob wurde ihm inzwischen fast schon lästig. Aber da war etwas, das ihn beunruhigte. Wie ein Zweifel nagte dieses Etwas an ihm. Er versuchte sich einzureden, dass das nach einer derartigen Anspannung völlig normal sei. Und er hatte doch nun wirklich alles berücksichtigt! Alles war perfekt! Auch die Dame Erde hatte ihre Zustimmung gegeben, die neue Spezies aufzunehmen.

Doch das Nagen hörte einfach nicht auf. Zur Entspannung rief er seinen Goster und flog ein wenig umher. Um den Kopf frei zu kriegen.

„Goster, flieg zum Meer", beauftragte er das Fluggerät. Doch es reagierte nicht. Sehr ungewöhnlich.

„Goster, zum Meer!"

Der Goster flog geradeaus weiter. Ärgerlich rief Ba-Hua-Mnu: „Goster, was ist los mit dir? Ich sagte doch, dass ich zum Meer will!"

Die monotone Stimme des Gosters antwortete: „Jetzt besser Höhenluft. Nicht Meer."

Ba-Hua-Mnu fiel es wie Schuppen von den Augen. Das war es, was so an ihm genagt hatte: Maschinen, die sich verselbstständigten, nicht gehorchten, nicht mehr berechenbar waren! Und dieser Erdling war doch auch nichts anderes als eine perfekt funktionierende Maschine. Was also, wenn die Erdlinge sich plötzlich loslösten, ihr eigenes Ding machten, ohne die geringste Ahnung von den kosmischen Gesetzen zu haben? Das ging überhaupt nicht! Hier musste auf jeden Fall nachgebessert werden!

„Goster, bring' mich sofort zurück – oder ich tausche dich aus!"

Der Goster kehrte um und brachte Ba-Hua-Mnu zurück, nicht ohne vorher noch ein paar üble Sinkflüge hinzulegen. Mit monotonem Ha-ha-ha gab er zu erkennen, einen Scherz gemacht zu haben. Er wollte schließlich nicht ausgetauscht werden.

Ba-Hua-Mnu stürzte in die Kuppel, in der sich sein Arbeitsbereich befand und blätterte hektisch in den Entwicklungsunterlagen des Erdlings. Es dauerte lang, bis er endlich fand, was er suchte – oder zumindest glaubte, an diesem speziellen Punkt die unabdingbare Nachbesserung durchführen zu können. Sorgfältig arbeitete er einen Vorschlag aus, den er dem Großen Rat zur Begutachtung und Genehmigung vorlegen musste. So etwas durfte er nicht allein entscheiden.

Die Mitglieder des Großen Rats waren keinesfalls entzückt darüber, schon wieder wegen des Experiments Erdling zusammengerufen zu werden. Sie waren gerade dabei, mit großer Sorgfalt eine neue Galaxie zu erschaffen, was einen Eingriff in eine andere Galaxie erforderlich machte. Eine extrem heikle Aufgabe. Und jetzt schon wieder diese Erdling-Sache!

Natürlich war die Erde ein ganz spezielles Projekt, mit dem schon viele Versuche stattgefunden hatten. Sie war ein Vorzeigeobjekt, eine einzigartige Perle in den Galaxien. Die Erde zu bewahren, lag vielen am Herzen, nicht nur Ba-Hua-Mnu. Nicht umsonst hatten die Dinosaurier ausgelöscht werden müssen: Was der Erde nicht dienlich war, musste verschwinden. Klagen, Beschwerden oder Wünsche der Erde wurden stets ernst genommen. Man tat, was immer möglich war.

Ba-Hua-Mnu blickte in die missmutigen Gesichter der Mitglieder des Großen Rats. Er konnte seine Aufregung nicht unterdrücken, also kam er gleich zur Sache: „Großer Rat, ich bedaure sehr, euch schon wieder wegen der Erdlinge gerufen zu haben. Nach einem Ereignis mit meinem Goster wurde mir etwas klar, was unter keinen Umständen unberücksichtigt bleiben darf. Wir haben und hatten auch schon früher und in anderen Kulturen Maschinen, die sich selbst modifizierten, anpassten und verbesserten. Ich erinnere nur an die La-KeTo, bei denen die Maschinen die Wesen versklavt haben. Noch heute kann sich niemand diesem Planeten nähern, denn er ist zu einer großen Gefahr für die ganze Galaxie geworden. Der Erdling darf sich nie und nimmer so entwickeln, dass da etwas Ähnliches passiert! Es muss verhindert werden, dass er sich ohne Kenntnis der kosmischen Gesetze entwickeln und zur Bedrohung mutieren kann. Der Erdling muss unter allen Umständen immer unserer Kontrolle – und somit den universellen Gesetzen – unterstehen. Deshalb habe ich folgenden Vorschlag ...“

Die Beobachter

F4 näherte sich langsam S1. Sie konnte sich kaum ein Grinsen verkneifen, als sie S1 ansprach: „Hallo. Na? Alles klar bei dir und deinen Sternchen?"

Etwas irritiert blickte S1 zu F4: „Ja, klar. Warum auch nicht?"

„Dann hast du es wohl noch nicht gehört, was?"

„Was soll ich gehört haben?"

„Na, dass dein Sternchen Robin so mir nichts dir nichts sein Leben ändern will. Einfach so."

„Waas?"

„Guck doch selbst!"

Auf der Stelle düste S1 düste davon. Er schaltete alle Monitore auf den Erdling Robin, rief all dessen Daten ab und erschrak. Tatsächlich, dieser Robin wollte alles hinschmeißen und sich auf eine einsame Weltreise begeben. Das ging überhaupt nicht! Das war in seinem Plan nicht vorgesehen. Robin sollte gerade jetzt in die absolute Schmerzzone geführt werden, mit Aussichtslosigkeit und allem Drum und Dran. Sein Plan sah vor, dass er in Hoffnungslosigkeit über die Schmerzgrenzen hinaus ausgetestet werden sollte. Dann würde man ihm kurz vor dem Exit etwas Zuversicht geben und sehen, was er daraus machte. Das wäre für ihn, S1, ein absolutes Highlight. Damit könnte er ein paar Punkte auf seinem spärlichen Plus-Konto für gute Arbeit gewinnen. S1 überlege fieberhaft. Zuerst galt es, diese Reise zu verhindern. Womit? Unfall! Ja! Ein richtig guter, schwerer Unfall. Tolle Idee! Der Beginn der völligen Aussichtslosigkeit.

Ein Erdenleben

Robins linkes Augenlid öffnete sich leicht. Er sah schemenhaft eine Gestalt. Nein, es waren drei, aber sehr verschwommen. Sie sahen irgendwie alle gleich aus, wankten aber ständig hin und her. Er hörte dumpf hallend eine Stimme. Robin verstand nicht, was sie sagte. War er denn immer noch in dieser merkwürdigen Welt, in der er sich so unvermittelt und überraschend wiedergefunden hatte? Er hatte seine verstorbene Schwester getroffen. Sie hatte – typisch für sie – wie wild auf einer Schaukel Kunststückchen vollführt. Auch Großmutter war da gewesen. Sie hatte wesentlich jünger ausgesehen als in ihren letzten Tagen auf der Erde und schien sich bester Gesundheit zu erfreuen. Sie hatte ihm zugewinkt und gerufen, dass sie seinen Lieblingskuchen gebacken habe. Aber immer, wenn er zu ihr oder seiner Schwester wollte, hatte sich ihm ein Wesen in den Weg gestellt und gemeint, dass er noch nicht zu ihnen könne. Es sei noch nicht seine Zeit. Das Wesen war nicht unsympathisch, irgendwie war es Robin sogar bekannt vorgekommen. Doch das Wesen meinte unverkennbar ernst, was es sagte. So konnte Robin immer nur wie ein Besucher hinter einer Glaswand seiner Schwester und Großmutter zusehen und winken. Manchmal hatte Robin den Eindruck, als wolle das Wesen von ihm angesprochen werden. Aber was sollte er ihm sagen? Vielleicht Hallo, oder du-bist-groß oder bist-du-ein-Geist? Also ließ er es bleiben.

Aber dieses hin- und herpendelnde Wesen jetzt vor ihm hatte mit diesem … diesem Geist keinerlei Ähnlichkeit. Wieder diese dumpfen Laute. Robin meinte, eine Frage gehört zu haben, etwa wie-geht-es-Ihnen? Was sollte das? Er wollte zuallererst wissen, wo er überhaupt war. Sein Versuch, den Kopf zu heben, scheiterte kläglich. So bemühte er sich, das linke Auge ganz zu öffnen. Es klappte mit großer Anstrengung. Das rechte Auge wollte nicht gehorchen. Jetzt erkannte er, dass diese drei Schemenfiguren nur eine Person waren. Ein Mann im weißen Kittel. Eine Frau, ebenfalls im weißen Kittel, stand neben ihm. Beide starrten ihn mit einem merkwürdigen Gesichtsausdruck an. War das Freude? Nein, eher Besorgnis. Was sollte das? Wo war er?

„Wie fühlen Sie sich?" Das hatte Robin verstanden. Wie sollte es ihm gehen! Wie immer. Oder etwa doch nicht? Warum öffnete sich sein rechtes Auge nicht? Warum konnte er den Kopf nicht heben?

Der Mann mit dem weißen Kittel beugte sich über ihn und leuchtete mit einer kleinen Taschenlampe in sein halb geöffnetes Auge.

„Wir freuen uns, dass Sie wieder bei uns sind", sagte er, aber seine Augen sagten etwas anderes. Warum freute er sich nicht, wenn er sich doch angeblich freute? Etwas stimmte hier ganz und gar nicht!

Robin war müde. Er fühlte sich erschöpft. Sein linkes Auge schloss sich wieder, und er schlief einfach ein.

Wie oft war er den Weg zu seiner Schwester und Großmutter schon gegangen, aber jetzt fand er ihn nicht. Er irrte umher, fand sich in einer Siedlung wie aus dem Mittelalter wieder, als Leiche auf einem Kriegsschauplatz, geriet in einen Lichtstrudel, fiel in eine Erdspalte. Aber den Weg zu seinen Lieben fand er nicht.

S1 blickte eher gelangweilt auf seinen Monitor und beobachtete Robins Streifzüge. Wäre der Junge nicht so hektisch gewesen, hätte er tatsächlich Einblicke in seine früheren Leben bekommen können. S1 war sich nicht schlüssig, ob diese Erinnerung für irgendjemanden irgendeinen Nutzen hatte. Aber das sollte nicht sein Problem sein. Der Rat hatte beschlossen, dass die Erdlinge sich nicht an vergangene Leben erinnern sollten, um nicht mit alten Taten emotional „belastet" zu sein. So ein Quatsch, dachte S1. Er war der Meinung, dass ein Erdling möglichst viele Lasten tragen sollte, um zu begreifen. Was eigentlich? Ursache – Wirkung – Folge, oder was? Müsste ein Erdling mit großem Schuldgefühl nicht besonders darauf bedacht sein, ein guter Mensch zu werden? Was war eigentlich ein guter Mensch? S1 verstand so einiges nicht von dem, was der Rat beschlossen hatte. Ganz und gar nicht. Er wusste nur eins: Seine Aufgabe und die der anderen Wesen auf der Ebene der Energie-Dichte 6, kurz D6, lag darin, fünf Energieanteile von sich, also die „Sternchen", auszusenden, um sie so viele Erfahrungen wie möglich auf der Erde oder sonstwo in der Galaxie machen zu lassen. Diese Erfahrungen wurden gesammelt und von irgendjemandem ausgewertet. Alle Erdlinge waren an Überwachungsmonitore angeschlossen, die alles aufzeichneten, zumindest nach dem, was S1 bekannt war. Die Gruppen S, T, K und O waren angehalten, ihre jeweiligen Sternchen zu beaufsichtigen und dafür zu sorgen, dass deren Lebenspläne auch wirklich eingehalten wurden.

Und da kommt doch dieses Sternchen Robin auf die blödsinnige Idee, sein Leben – ohne Genehmigung – einfach so umzugestalten. Jetzt hatte er, S1, seine Last mit ihm. Ausgerechnet mit ihm!

Wie viel Mühe hatte sich S1 schon gegeben, mit diesem Sternchen Robin möglichst viele Erfahrungspunkte auf seinem Konto zu sammeln! Es hatte ja auch geklappt. Dieser

Erdling war zäh und pfiffig. Deshalb hatte S1 für Robins jetziges Leben etwas ganz Spezielles als Aufgabe geplant.

Wie es der Vorschrift entsprach, hatte sich Robin seine zukünftigen Eltern auswählen dürfen. S1 hatte es jedoch geschickt verstanden, ihm nur die angenehmen Seiten der zukünftigen Eltern zu zeigen, nicht jedoch die schwierigen Erfahrungen. S1 kicherte still in sich hinein. Und dieser Robin war tatsächlich darauf reingefallen. Zum Glück hatte Robin daran keine Erinnerung mehr. Ja, S1 musste schon zugeben, dass es eine ausgesprochen harte und schlimme Jugendzeit für das Kind gewesen war. Doch das war doch nur zu dessen Bestem, dachte er. Hatte es ihn nicht stark und hart gemacht – und ihm, S1, einige dringend erforderliche Pluspunkte eingebracht? Robins Aufgabe lautete, in jungen Erwachsenenjahren in ein wohlgeordnetes Leben zu treten, zu heiraten, und seinen Kindern einen guten Start ins Leben zu ermöglichen. Ja, S1 war stolz, Robin hatte das Bonbon des Erfolgs erhalten: super Job, nette Frau, zwei Kinder. Und dann, ein echtes Meisterwerk von S1, geriet Robins Firma in Konkurs. Robin wurde arbeitslos, seine Frau verschwand mit irgendeinem anderen Mann und den zwei Kindern nach irgendwohin. Das Haus musste verkauft werden, und Robin war im Moment völlig mittellos und verschuldet.

Hach, S1 schwelgte in der Erinnerung an Robins überschäumende Emotionen von damals. Das hatte Punkte gebracht! Verzweiflung, Depression, Scham, Wut, Ratlosigkeit. Da war alles drin, was angestrebt wurde. S1 hatte nun vorgehabt, ihm ein kleines Bonbon in Form einer neuen Anstellung zu geben. Aber durch die vielen anderweitigen Interessen von S1 war das wohl in Vergessenheit geraten. So ein

Mist! Gleich hatte man ihm wieder Punkte abgezogen. Liebe Zeit, was wollten die Oberen denn noch alles?! Er war Wissenschaftler, ein richtig guter Wissenschaftler. Aber dafür ließ man ihm einfach zu wenig Raum. Wann sollte er jemals diese Kleidung erschaffen, die sich ständig dem Außen anpasste? Er hatte auf der Erde so ein Tier gesehen, das ständig seine Farbe wechselte, wenn es mal auf dem einen Ast oder einem andersfarbigen saß. So sollte die Kleidung werden, die er schaffen wollte. Nicht die, der man gleich ansehen konnte, in welchem Gemütszustand sich der Träger gerade befand. Nur das nicht!

S1 hatte sich in den Anfängen der Entwicklung der Erdlinge viele Gedanken gemacht. Ihm war aufgefallen, dass vor der Besiedlung der Erde die Wesen auf D6 wesentlich ausgeglichener gewesen waren als danach. Da hatte sich bei allen Sternchen-Sendern eine gewisse Neugier eingeschlichen. Was die Erdlinge so alles erlebten, hatte noch keiner von ihnen erlebt. Auch gab es dort Dinge, die wirklich wunderlich waren. Tolle Erfindungen etwa. Beinahe unmerklich, schlichen sich Erdling-Worte auch in den Sprachgebrauch der sechsten Dichte ein. Ehrlich, es gab sogar Sternchen-Sender, die ihre eigenen Sternchen nachahmten. Wie abstoßend! Wenn das nicht zu einem Verfall der Kultur führte, dann wusste er auch nicht weiter. Selbstverständlich hatte er sich von diesem Virus nicht infizieren lassen. Mit Schaudern erinnerte sich S1 an diesen großen Verräter, der selbst und höchstpersönlich auf die Erde gegangen war. Wie hieß der doch gleich? Leon, Leondavini, oder so ähnlich. Der wollte es genau wissen. Immer, wenn er etwas malte, setzte er Codierungen in seine Gemälde, um Zeichen zu geben, und wie es hieß, damit Wahrheiten bekannt zu geben. S1 hatte keine Ahnung, was mit diesem Typ nach dessen Rückkehr passiert war. Wahrscheinlich nicht viel, denn kaum jemand hatte seine Codierungen entschlüsseln können. Sonst wäre es wohl zu einer Katastrophe gekommen. Aber wer wusste das schon? Und dann dieser Jesus. Na ja, der war nur einmal auf der Erde. Kein Wunder, nach dem, was sie ihm auf Erden angetan hatten. Und an diesen ... diesen Melch-di-ziche – hieß der so? – ach ja, jetzt fiel es ihm wieder ein, Melchizedek. Ja, so hieß er. Der war gleich mehrmals, natürlich immer unter anderem Namen, auf der Erde gewesen. Angeblich, um den Erdlingen „auf die Sprünge zu helfen". So ein Quatsch! Egal. Jetzt war erst mal wichtig, Robin den nächsten Schlag zu verpassen. Es galt, wieder Punkte zu sammeln.

F4 trommelte inzwischen mit den Fingern auf ihrer Tastatur herum. Sie war ziemlich schockiert gewesen über die eigenmächtige Handlung von S1, der diesen jungen Mann in eine derart missliche Lage gebracht hatte. Sie musste einfach herausfinden, was S1 noch mit Robin vorhatte! Aber, wenn sie jetzt unbefugt Robin über den System-Monitor aufriefe, könnte das echten Ärger geben. Sie war noch nicht lang auf der Ebene der Energie-Dichte D6 und hatte zum ersten Mal eigene Sternchen ausgesandt. Was ihr aber jetzt schon gehörig stank, war, dass jeder Schritt und Tritt, einfach alles, was sie hier tat, kontrolliert und überwacht wurde. Noch gemeiner war, dass sie auch noch persönlich in bestimmten Abständen Berichte abgeben musste, mit diversen Erklärungen und Begründungen. Wenn sie das nur früher gewusst hätte!

Jetzt saß sie vor dem Monitor und dachte angestrengt nach. Da kam ihr ein genialer Gedanke. Ihr Sternchen Ben war doch mit Robin befreundet. Ben war als Kind sehr ängstlich gewesen. So passte es gut, ihn sich mit einem starken Erdling anfreunden zu lassen, der ihn unter seine Fittiche nahm. Gut! Wenn sie Ben zu Robin ins Krankenhaus schickte, könnte sie bedenkenlos nachschauen, wie es dem armen Kerl ging. Sie musste nur noch kurz ein paar Dinge regeln, bevor sie Ben zu Robin schicken konnte.

Zwischen den Welten

Das sonst so helle, lichte Energiewesen Kti-Ram-Thu der achten Dimension bebte und vibrierte in allen roten Farben, Blitze schossen aus ihm heraus. So war es ihm noch nie ergangen. Es lag an dieser unsäglich erschütternden Situation!

Seit Beginn seiner Existenz hatte es schon viele Tausende von Strahlen in alle Regionen und Ebenen dieser Galaxie geschickt! Und alle Strahlen hatten nach der kosmischen Ordnung selbst wieder Strahlen und Sternchen ausgesandt. Aber eine derartig eigenmächtige Handlung wie die von S1 hatte es noch nie gegeben. Was war mit S1 nur los? Sicher, als er sich auf D7 eingewöhnen sollte, um seine Individualität auszubauen, entwickelte er sich wesentlich schneller als alle anderen. War Kti-Ram-Thu nicht achtsam genug gewesen, diese – im Nachhinein festgestellten – Abweichungen im Wesen von S1 zu erkennen? Man hätte hier bereits handeln müssen! Stattdessen war S1 zu früh, viel zu früh, nach D6 geschickt worden. Und jetzt das! Eigenmächtig, aus geradezu sadistischen Gründen, hatte er einem Menschen entgegen dessen Lebensaufgabe schweren Schaden zugefügt. Das musste auf jeden Fall in Ordnung gebracht werden!

Kti-Ram-Thu hatte alle Fäden in der Hand und war jederzeit in der Lage, korrektive Maßnahmen durchzuführen, falls mal etwas nicht ordnungsgemäß verlief. Genau das würde sie jetzt tun müssen. Auch, wenn sie ein vollkommen neutrales Wesen war, weder weiblich noch männlich, so fühlte sie sich ihren ausgesandten Strahlen gegenüber doch stets als Mutter.

Kti-Ram-Thu verfiel in ein tiefes Nachdenken. Sie würde mit ihren Eltern der Energie-Dichte-Ebenen D8, D9 und D10 Gespräche führen müssen. Es galt nach wie vor die Anweisung, sich nicht in die Leben der Erdbewohner einzumischen. Diese hatten jeweils klare Aufgaben, was sie in ihrem Erdenleben erfahren sollten. Punkt!

Ihre AN-NA hatte sich allerdings eigenmächtig auf die Erde gemogelt, ohne den „Kuss des Vergessens" zu erhalten. Somit wusste sie, wie sie mit ihrer vom Schöpfer gegebenen Kraft von einer Dichte zur anderen gehen konnte. Ihr war es möglich, willentlich die Frequenz ihres Körpers zu ändern, was sonst nur Menschen in tiefer Meditation möglich war. Nur sie konnte das ohne Meditation bewerkstelligen. Damit war sie eine Wanderin „zwischen den Welten". Gut. Jetzt war das eben so. AN-NA war nicht die einzige, der das möglich war. Also war auch Kti-Ram-Thu nicht die einzige, die ein derartiges Problem hatte. War es überhaupt ein Problem? Oder war es vielleicht doch irgendwo vorgesehen? Zwar hatte Kti-Ram-Thu die Anweisungen, speziell die von Ba-Hua-Mnu, nochmals zu Rate gezogen. Da stand, dass alle Strahlen, Sternchen und Seelenanteile, die zur Erde gingen, den „Kuss des Vergessens" erhalten sollten. Aber zu den Ausnahmen war nichts zu finden gewesen. Es verlangte Kti-Ram-Thu dringend nach einer Erklärung

Willkommener Trost

Ben drückte vorsichtig die Klinke zur Tür des Krankenzimmers herunter und schob sich langsam in den Raum. Er erschrak, als er die Gestalt, die sein guter Freund Robin war, sah. Der Kopf war vollkommen bandagiert. Lediglich zwei Schlitze ließen Augen und Mund frei. Die Arme lagen auf einem weißen Betttuch. Und überall Schläuche, Elektroden, Geräte. Robin selbst war nicht zu erkennen.

Ben räusperte sich kurz, bevor er in möglichst heiterem Ton sagte: „Hallo, Rob, was machst du denn für Sachen?"

Als Antwort erhielt er ein geröcheltes „eeehn?"

„Ja", als Ben vermutete, dass Robin seinen Namen ausgesprochen hatte.

„Ja, ich bin's", wiederholte er.

Der Mundschlitz hauchte: „waffpaffiii?"

Ben nahm einen Stuhl und stellte ihn an Robins Krankenbett. Robin schien wissen zu wollen, was ihm passiert war. Hatte man ihm denn nichts gesagt? Wusste er womöglich noch gar nicht, dass er querschnittsgelähmt war und nie wieder würde laufen können?

In möglichst lockerem Ton antwortete Ben: „Ach, hat man es dir noch nicht gesagt? Du wolltest wohl mit deinem Rad einen Lastwagen überfahren. Aber der war dann doch stärker."

Ein undefinierbarer Ton kam aus dem Lippenschlitz. Sollte das ein Lachen oder Protest sein?

Ben war entschlossen, weiter bei dem lockeren Ton zu bleiben. Er, Ben, würde seinem Freund diese Nachricht nicht überbringen. Dazu fühlte er sich einfach nicht in der Lage.

„wann gomiffrauff?"

Der Kerl hatte Nerven!

„Rob, wenn du dich sehen könntest! Wenn du so auf die Straße gehst, wirst du nie wieder im Leben ein Mädchen kriegen. Außer, du gehst nur noch an Halloween raus. Am besten bleibst du noch ein bisschen, wenigstens, bis du den Kopfverband los bist."

Ben legte eine kurze Pause ein, bevor er fortfuhr: „Liss und ich haben die Hochzeit abgesagt. Du weißt doch, dass wir in vier Wochen heiraten wollten. Aber Liss und ich haben beschlossen, so lange zu warten, bis du als mein Trauzeuge einsatzbereit bist. Also komm bald wieder auf die Beine. Wir warten auf dich!"

Ben verkniff sich angesichts seiner Lüge eine Träne und drückte einen Kloß im Hals runter.

„Wafffagd de aafft. Die redenifft mim i."

„Rob, dann hättest du mich heiraten müssen." Ben riet, dass Robin nach der Ärztediagnose gefragt hatte.

„Du weißt doch, dass nur nahe Angehörige eine Auskunft bekommen. Wie gesagt, du hättest mich heiraten sollen. Aber du hast mich ja nie gefragt."

Wieder ertönte dieser undefinierbare Laut. Es war wohl ein Glucksen.

Robins linkes Auge blickte forschend auf Ben, und in ihm stand die Frage geschrieben: stimmt das?

Ben wich weiteren Fragen aus, indem er von seinem Alltag und von Liss erzählte.

Dies war für F4 der richtige Moment, um auf den Knopf zu drücken. Ben sagte plötzlich: „Du, Rob, mir kommt da so eine Idee. Ich kann ja nicht so oft kommen, wie ich gern würde. Aber", er stockte kurz, „es ist schon fast ein Gefallen, den du uns tun könntest. Du liegst ja sowieso nur hier herum und nervst die Krankenschwestern. Mia ist die Schwester von Liss. Du kennst sie noch nicht. Sie war lange im Ausland. Jetzt musste sie zurückkommen, weil ihre Sehkraft so stark nachgelassen hat. Sie ist fast blind. Jetzt weiß sie noch nicht so recht, wie es weitergehen soll, und sie ist sehr niedergeschlagen. Was hältst du davon, wenn sie dich ab und zu besuchen kommt? Das gäbe ihr das Gefühl, dass sie eine Aufgabe hat."

„meeee", ertönte es aus dem Mundschlitz.

„Wieso nein? Willst du lieber stundenlang in die Glotze gucken und verblöden, statt geistreiche Gespräche zu führen? Mia ist wirklich sehr unterhaltsam."

„meeee, wiiffniff."

„Also gut, Rob, ich freue mich, dass du einverstanden bist. Bin ich froh, dass ich bei uns beiden endlich auch mal was zu sagen habe", sagte Ben grinsend. Dann legte er vorsichtig seine Hand auf Robins Hand, drückte sie leicht und meinte: „Ich geh dann mal und erzähle Mia, dass du sie erwartest."

„meee, dafkamff du miffmaffen."

„Doch mein lieber Freund, kann ich."

F4 war zufrieden. Der erste Schritt war getan. Und!! Sie hatte gegen keine Regel verstoßen. Eigentlich klang das ja recht niedlich, wenn Robin jedes S wie ein F aussprach. S1 wäre demnach F-einf. Sie lachte glucksend.

F-einf, oder besser S1, war stinksauer. Er sprühte nur so vor roten Funken und Blitzen. Diese F4 nervte ihn aufs Äußerste! Ständig schlich sie irgendwo rum, ständig lief sie ihm über den Weg, ständig prallte er mit ihr zusammen. Wie die Stubenfliegen, die er immer wieder beim Mittagsschläfchen vor der Nase hatte. Diese kleine Kröte! Was sollte das? Was wollte sie? Wollte sie überhaupt etwas von ihm? Was? Dieses Miststück ging ihm so was von auf den Nerv. Und dabei war sie doch sooo eine kleine Nummer, ein Weichei, wie die Erdlinge etwas Derartiges bezeichnen würden. Ständig säuselte sie was von Harmonie und Liebe und Tingeltangel. Heideradei! Wo blieb da die Lebenserfahrung, hä? Wie viel Erfahrungs-Punkte hatte die wohl während der letzten 50 galaktischen Atmungen eingefahren, hä! Zwei? Oder drei? Auf keinen Fall mehr. Er hatte immerhin über 21, das waren nicht sehr viele, das war ihm klar. Doch das lag an diesen ungerechtfertigten Punktabzügen. Und die! Mit Sicherheit hatte die einen Protegé, der blitzschnell alle Strafpunkte ausradierte. Na warte, du verbogenes Stück Strahl, dir werd' ich helfen. Dir zeig ich's. Wütend wandte er sich dem Monitor zu. Er musste mal schauen, was der Robin jetzt so machte.

Robin heulte, weinte, schrie, bis er vor Schmerzen durch all diese Bewegungen die Tränen nur noch laufen lassen konnte. Die Krankenschwester beeilte sich, das durchnässte Kopfkissen durch ein trockenes auszutauschen. Sie litt mit ihm. Der Arzt hatte seinen Zustand für stabil genug erklärt, um Robin über seinen tatsächlichen Zustand zu informieren: Er würde nie wieder laufen können.

Robins Verzweiflung war grenzenlos. Alles hatte er verloren. Alles, was er jemals besessen hatte, angefangen mit seiner Selbstachtung und seinem Lebenswillen. Dann seinen Job, seine Frau, seine Kinder, sein Haus. Und nun stand er da mit nichts. Absolut nichts. Null! Nichts war ihm geblieben. Nein, das stimmte nicht ganz. Schulden hatte er. Davon eine Menge, und einen Rucksack mit Pass, einem Satz Wäsche zum Wechseln, einer Uhr und ein paar Euro für ein Ticket nach Ganz-weit-weg. Und jetzt das! Ach ja, sein Leben hatte er auch noch. Warum war ihm denn das nicht genommen worden? Wieso sollte ausgerechnet das jetzt noch einen Wert haben. Er musste nachdenken. Er musste sich etwas überlegen. Er müsste... Dann schlief er vor Erschöpfung oder durch die Wirkung der Medikamente ein.

S1 war zufrieden und blickte auf sein Punkte-Konto. Hä? Warum waren da keine Pluspunkte hinzugekommen? Diese Erfahrungswerte waren doch geradezu unbeschreiblich wertvoll! Er brummelt vor sich hin, während sein Monitor weiterhin den weinenden und verzweifelten Robin zeigte.

Eine Praktikantin?

„Spionierst du?"

F4 schrak heftig zusammen.

„N-nein. Nein, ich spioniere doch nicht. I-ich ...ich ... ähm, ich wollte nur S1 nicht bei der Arbeit stören und abwarten, bis er ansprechbar ist", log F4 hastig.

„Hm. Ich dachte, du wolltest wissen, was Robin macht."

„N-nein, doch, also nein, ja schon, er ist immerhin ein Freund meines Sternchens Ben."

„Weiß ich. Was willst du denn wissen?", fragte diese kindliche Stimme. „Vielleicht kann ich es dir sagen."

F4 blickte auf dieses kleine Wesen mit den großen, blauen Augen.

„Duuu?"

„Ja. Ich."

„Wer bist du eigentlich? Wieso bist du hier?"

„Ich bin hier, weil ich es kann."

F4 blickte sie entgeistert an.

„Oh, entschuldige", sagte das Wesen hastig, „du willst wissen, w-a-r-u-m ich hier bin", und blickte nun seinerseits F4 fragend an.

F4 nickte nur.

Das Wesen fasste dies als Aufforderung auf, weiter zu reden. Es knetete leicht verlegen die Hände. „Weißt du, ich bin schrecklich neugierig. Ich will immer alles wissen. Und in der Schule bekomme ich eben nicht die Antworten auf meine vielen Fragen. Also bin ich hier."

Das Wesen glaubte, mit diesen Worten alles erklärt zu haben, doch F4 starrte es weiterhin nur an.

„Wer bist du?", fragte F4 gedehnt.

„Ach so, das meinst du. Also ich bin PA38Xf und bin hier als ... äh ... Praktikantin."

„Praktikantin", wiederholte F4 monoton. „Ja, so ist es. Ich bin hier, weil ich lernen möchte. Ich möchte alles wissen, was hier so geschieht."

Weder die Stimmlagen von F4 noch ihr fassungsloser Gesichtsausdruck hatten sich geändert, deshalb wiederholte sie nur tonlos das Wort „lernen".

Nun schien PA38Xf irritiert zu sein. Sie legte den Kopf leicht schräg: „Findest du das seltsam?"

„Nee, nur verstehe ich überhaupt nichts. Ich habe noch nie gehört, dass es hier Praktikanten gibt. Wer schickt dich denn?"

„Tja, also ... so richtig geschickt hat mich niemand. Ich bin hier, weil ich es eben kann. Aber das sagte ich ja schon."

„... weil du es kannst."

„Ja, daran ist doch nichts Besonderes."

F4 vibrierte in Dunkelblau mit Grün. Dann forderte sie PA38Xf in strengem Ton auf: „So. Jetzt erzähle mir mal der Reihe nach, wer du bist, woher du kommst, warum du hier bist und was du hier machst. Und wer dir den Berechtigungscode für deinen Aufenthalt hier gegeben hat."

PA38Xf verdrehte die Augen. „Weißt du eigentlich, wie viel Zeit wir damit verlieren, wo wir doch etwas für Robin tun sollten? Aber gut. Wenn ich für dich so ungewöhnlich bin, bitte! Mein Körper lebt auf der Erde. Dort heiße ich Anna, dort bin ich neun Jahre alt und gehe zur Schule. Und die ist blöd. Nachts komme ich hierher, weil es hier viel interessanter ist als in der Schule. Ich möchte mehr darüber wissen, wer hier was macht. Deshalb bin ich hier." Anna-PA38Xf vermied es, auf die letzte Frage einzugehen, wer ihr denn einen Berechtigungscode gegeben habe.

„So, so. Aha. Von der Erde. Einfach so. Einfach so, weil du es kannst." F4 wiegte ihren Kopf hin und her, der mittlerweile in tiefem Blau erstrahlte.

Anna-PA38Xf, erfreut darüber, nicht weiter auf den Code eingehen zu müssen, plapperte sofort los: „Ach weißt du, das ist nicht schwer. Und eigentlich können das alle auf der Erde. Nur wissen sie es nicht. Und wenn sie es doch wissen, dann zweifeln sie daran, dass sie es können, und dann geht es nicht."

„Wie geht das denn, einfach hierher zu kommen."

„Sagte ich ja, es ist nicht schwer."

„Ich fragte, w-i-e es geht", beharrte F4.

„Das weißt du nicht?"

F4 schüttelte den Kopf.

Anna-PA38Xfs Stirn runzelte sich leicht. Dann meinte sie: „So genau weiß ich es eigentlich auch nicht. Bei mir ist es so, dass ich nachts vor dem Einschlafen an euch denke und dann beschließe, dass ich hier bei euch sein will." Sie legte eine kurze Pause ein und meinte dann: „Das ist alles, mehr nicht."

Eine donnernde Stimme ließ beide zusammenzucken: „Was soll das? Was macht ihr hier? Wer ist dieses Ding?" S1 hatte sich drohend vor ihnen aufgebaut. Sofort stotterte F4: "Sie ist Praktikantin. Sie soll ... sie hat ... sie ist...".

Anna-PA38Xf erlöste F4 und erklärte: „Ich bin Groß-P-Groß-A-dreiacht-Groß-X-Klein-f. Ich bin hier, um Einblick in die verschiedenen Abteilungen zur Führung von Sternchen zu erhalten, um danach einen Bericht zu erstellen, ob es an gewissen Stellen Optimierungsbedarf gibt."

„Und?", schnauzte S1.

„Entschuldige bitte, S1, ich bin gerade erst angekommen und kann noch nichts sagen. Ich hatte noch keinerlei Einblick."

„Dann fang gefälligst woanders an. Hier gibt es keinen Optimierungsbedarf."

„Danke für die Auskunft", sagte Anna-PA38Xf höflich.

Mittlerweile hatte sich F4 wieder gefangen, packte PA38Xf am Arm und zog sie mit der Bemerkung fort: „Dann beginnen wir bei mir. Komm bitte mit, PA38Xf."

Wortlos entfernten sie sich eilig.

Mit mehr als ausreichendem Abstand zu S1 meinte PA38Xf: „Kaum zu glauben, dass ihr die gleiche Strahlenmutter habt."

„Was redest du da?"

„Was meinst du?"

„Du hast gesagt, S1 und ich hätten die gleiche Strahlenmutter?"

„Ja, ist doch so. Und so gesehen, bin ich eure Schwester. Wir haben die gleiche Strahlenmutter."

„Woher weißt du das?"

„Weil sie es mir gesagt hat."

„Nein, nein, das kann nicht sein. Ich weiß nicht, wer meine Strahlenmutter ist, und du willst mit ihr gesprochen haben?"

Wieder runzelte sich die kindliche Stirn von PA38Xf. „Warum weißt du das nicht?"

„Weil hier niemand weiß, wer seine Strahlenmutter ist."

„Das verstehe ich nicht. Du hast sie noch nie besucht?"

F4s Stimme klang nun beinahe hysterisch: „Weil hier niemand weiß, wie man seine Strahlenmutter besucht oder überhaupt mit ihr Kontakt aufnimmt."

PA38Xf schüttelte nachdenklich den Kopf. „Dann geht es euch ja genau so wie den Menschen auf der Erde. Die wissen auch nicht, wer ihre Sterneneltern sind." Sie legte eine kleine Pause ein, bevor sie fortfuhr. „Wenn du möchtest, können wir sie ja mal besuchen."

F4 stammelte fassungslos: „Das glaub ich jetzt alles nicht!"

PA38Xf riss sie aus ihren Gedanken: „He, F4, lass uns doch endlich mal über Robin reden. Immer, wenn ich sehe, was mit dem Mann passiert, muss ich weinen."

Sie wechselten den Platz. Währenddessen erklärte PA38Xf weiter: „Wir alle, von D12 angefangen bis zu den Menschen auf der Erde, sind Strahlenkinder. Alle. Wir sind die Kinder der Kinder der Kinder des einen und alleinigen großen Schöpfers. Die Menschen sagen, wenn sie sterben und ihren Körper verlassen, dann kehren sie nach Hause zurück. Aber eigentlich wissen sie nicht, was das wirklich bedeutet. Unsere Eltern schicken uns wie einen Bumerang hinaus zur Erde, um Erfahrungen zu sammeln. Jeder auf seine Weise. Dann kehren die Seelen oder Seelenanteile, wenn du es korrekt wissen willst, zu ihnen zurück, um zu berichten. Die Menschenseelen gehen also nach ihrem Tod wieder in die höheren Dichten zurück, dahin, von wo sie gekommen sind. Die Menschen haben eine besondere Aufgabe, da sie eine besondere Fähigkeit haben. Nur die Menschen. Denn sie haben einen Körper aus Fleisch und Blut. Und diese Körper machen es möglich, Empfindungen und Gefühle zu haben. Sie können lieben, hassen, ängstlich sein, sich freuen, Mut haben, einfach alles. Das geht nur auf der Erde mit einem Körper. Sonst nirgendwo. Alle Feinstofflichen — wie auch ihr hier — können das nicht. Der Preis für Gefühle und Emotionen ist, dass man sich von ihnen überwältigen lässt, dass man zu sehr mit sich selbst beschäftigt ist, um nach der Bedeutung von „nach Hause" zu fragen. Schade. Aber naja, wenn die Menschen ihren Körper verlassen, merken sie es ja sowieso.

Schweigend hatte F4 zugehört. Das war verwirrend. Das würde ja bedeuten, dass sie ebenfalls zurückkehren würde. Oder war es doch anders? Sie unterbrach ihre Gedanken, weil sie den anderen Monitor erreicht hatten. Dann fragte sie: „Was hast du eigentlich mit Robin zu tun?"

„Ach, weißt du, ich bin schon seit Längerem hier oben. Und da habe ich schon so einiges mitgekriegt. Außerdem wohnt Robin in dem Ort, in dem auch ich auf der Erde lebe. Und ich denke, dass wir da etwas tun sollten."

„Was könnten wir schon tun, wenn wir uns nicht in die Angelegenheiten von S1 einmischen dürfen?"

PA38Xf grinste: „Och, darüber habe ich schon nachgedacht, und mir ist auch was eingefallen."

Der Rückruf

Ein rauchig grüner Schwall entschlüpfte Kti-Ram-Thu, als sie tief aufseufzte. Sofort eilte ihre Schwester zu ihr, denn Derartiges war auf dieser Ebene hier höchst ungewöhnlich.

„Was ist los mit dir?", fragte Kit-Ram-Tha.

Wieder seufzte die Schwester, ganz in der Rolle einer Mutter. „Ich verstehe einfach nicht, wie verschieden Kinder so sein können."

„Meinst du S1 und F4?", hakte Kit-Ram-Tha nach.

Kti-Ram-Thu nickte. „Keine meiner anderen Strahlen sind so verschieden wie die beiden. Weißt du", wandte sie sich an ihre Schwester, „wir sind ja angehalten, uns nicht einzumischen, sondern nur zu beobachten, wie sich alles entwickelt. Aber manchmal frage ich mich doch, ob das immer so klug ist. Meines Wissens nach sollten alle Wesen und Energien auf den Ebenen unter uns viel weiter in ihrer Entwicklung sein. Aber es sieht so aus, als wäre eher das Gegenteil der Fall. Sieh dir nur mal die Menschen an! Unsere Hoffnungsträger, unsere Saat, unser Erbgut. Sie verstricken sich immer mehr in Materie, ihr Bewusstsein tendiert zum Niveau ihrer Entstehung, auch wenn ihr Geist sich drastisch nach oben entwickelt hat. Was um alles auf Erden ist passiert?"

Kti-Ram-Thus Gedanken wurden unterbrochen vom roten Aufleuchten ihres Monitors. Erstaunt nahm sie die Information zur Kenntnis und gab sie umgehend an ihre Schwester weiter.

„Das müssen wir sofort den unteren Dimensionen melden. Ich frage mich allerdings, wie das funktionieren soll."

Weiter unten, auf der Ebene D6, blinkte bei S1 sowie allen anderen D6-Ansässigen eine grellrote Lampe am Monitor. Das geschah sehr selten, deshalb breitete sich sofort Unruhe aus. Es war Pflicht, den Lampenknopf zu drücken. Sofort erschien ein Text, den jeder laut lesen musste. Nur, wenn Wort für Wort laut gelesen worden war, galt der Text als angenommen. Wer es nicht tat, musste mit Konsequenzen rechnen.

Also tat S1, was zu tun war. Er drückte den Knopf, dann las er laut:

„Der Große Rat hat erfolgreich die neue Galaxie aufgebaut. Es ist von absoluter Notwendigkeit, nun entsprechende Neubewohner der zu besiedelnden Galaxie von den unteren Dimensionen zurückzuführen und für die neue Galaxie vorzubereiten. Es ist wichtig, so viele Erdlinge wie möglich in dieses Programm zu integrieren, da deren erworbenen Fähigkeiten und Kenntnisse von großem Wert sein werden. Der Große Rat fordert alle Strahlen und Sternchen zur umgehenden Rückmeldung auf."

S1 glotzte auf den Text und verstand ihn nicht. Was wollten die da oben? Er sollte all seine Sternchen zurückholen? Puh! Mist. Ganz großer Mist! Jetzt hatte er wieder keinen Raum, um sich der Entwicklung seiner neuen Kleidung zu widmen. Na ja, dann würde er mal sehen, wo seine Zöglinge sich gerade herumtrieben, was sie so machten. Er schaltete die fünf Monitore ein, die ihn zu ihnen führen sollten. Robin lag, wie nicht anders zu erwarten, weiterhin heulend in seinem Krankenbett. Gut. Den würde er sterben lassen müssen. Also kein Problem.

Rich war ein Sternchen, das er in die Zukunft geschickt hatte. S1 musste warten, bis bei Rich in der Zukunft gerade

Nacht war. Dann würde er das Signal geben, dass Rich zurückkommen sollte.

Dann war da noch Rosemarie. Sie lebte gerade in der Vergangenheit. Hm! Von ihr war wirklich nicht viel zu erwarten. In S1 regte sich ein leichtes Gefühl von Mitleid. Ja, dazu war er durchaus fähig! Das arme Ding führte wirklich ein erbärmliches Leben. Sie würde mit Sicherheit und mit Freuden zu „ihrem Gott", wie sie immer sagte, zurückkommen wollen. Auch sie würde er in der Erdnacht benachrichtigen.

Rudolf würde S1 erst suchen müssen. Er war als Reisender zu den verschiedenen galaktischen Kulturen unterwegs. Über seine Signatur müsste er sich finden lassen.

Wer war eigentlich der oder die Fünfte? Dieses Sternchen erschien nicht auf seinem Monitor. Wie konnte das geschehen sein? Der oder die musste doch irgendwo sein. Aber wo? Wann hatte er zum letzten Mal nach ihm oder ihr gesehen?

S1 gestand sich ein, dass er in diesem Fall wirklich sehr nachlässig gewesen war. Egal, das ließe sich mit Sicherheit korrigieren. Er schaltete die Monitore aus und widmete sich seiner letzten Idee zur Farbveränderung und vielleicht sogar möglichen Unsichtbarwerdung von Bekleidung.

Während der Nachtzeit auf Erden nahm er, wenn auch widerwillig, Kontakt zu Rich auf. Er rief ihn im Schlaf und informierte ihn, dass er sofort oder wenigstens in kürzester Zeit zurückzukommen habe. Rich reagierte eigentümlich. Er glotzte S1 an und sagte: „Hab ich das richtig verstanden? Ich soll jetzt so mir-nichts-dir-nichts alles stehen und liegen lassen und zu dir nach D6 kommen? Spinnst du?!"

„Nein", erwiderte S1 – noch ganz gelassen. „Der Große Rat hat alle Erdlinge zurückgerufen, weil die neue Galaxie besiedelt werden soll."

„Hör mal, S1, ich weiß, wer du bist. Ich lebe hier in der Goldenen Zeit in D5, habe freien Zugang zu D6. Und dort war ich auch schon. Was ich da gesehen hab' – ne, das kannst du vergessen, dass ich da noch mal freiwillig hingehe! Und du ...", dieses DU betonte er besonders stark, „hast mir gar nichts zu sagen! Ich weiß, wann meine Zeit zum Gehen gekommen ist. Und das bestimmst nicht du. Hau ab, sag' ich dir. Verschwinde, lass mich in Ruhe!"

Bevor S1 reagieren konnte, hatte Rich den Kontakt abgebrochen. S1 kochte vor Wut. Um sich zu trösten, eilte er zu Rosemarie. Er fand sie erschöpft auf altem, stinkenden Stroh liegend in einer verrotteten, zugigen Hütte, ihre zwei kleinen Kinder an sich gepresst und mit einem Tuch bedeckt, das es nicht wert war, Tuch genannt zu werden. An ihrer Seite schnarchte ihr Mann, ein klappriger, dünner, dreckiger Erdling.

S1 meldete sich so sanft wie möglich bei Rosemarie und flüsterte: „Rosemarie. Rosemarie, dein Leiden hat nun ein Ende. Du darfst jetzt zu deinem Gott. Komm. Ich bringe dich zu ihm."

Mit einer Kraft, die S1 ihr nicht zugetraut hatte, riss sie die Augen auf und schrie: „Nein, nein, ich komme nicht. Ich gehe nicht mit. Ich lasse meine Kinder nicht allein. Und meinen Mann auch nicht. Ich kann noch nicht vor meinen Gott treten, ich bleibe hier!"

Damit hatte S1 nun wirklich nicht gerechnet. Diese Rosemarie wollte lieber all das Elend weiter ertragen, nur um ihre Kinder nicht allein zu lassen! Trotz aller Verärgerung fühlte sich S1 in seiner Annahme bestätigt, dass die Erdlinge äußerst sonderbar waren. Er würde sich etwas einfallen lassen müssen, um Rosemarie zurückzuholen.

Dann suchte er nach Rudolf und fand ihn auch. S1 hatte einen Plan. Er würde Rudolf nichts von Rückholung erzählen, sondern ihm von einer einmaligen, wunderbaren Gelegenheit berichten. Das tat er dann auch. Rudolf war fasziniert von der Idee, als Botschafter seine Erfahrungswerte in die neue Galaxie zu bringen und mitverantwortlich für die Gestaltung einer neuen Kultur zu sein.

S1 stöhnte innerlich vor Erleichterung auf. Wenigstens eines seiner Sternchen hatte er immerhin schon in der Tasche, mal abgesehen von Robin!

Nun galt es, das verlorene Sternchen zu finden. Er durchforstete die Chroniken seiner Sternchen-Aussendungen und fand nach einiger Zeit, wonach er suchte. Ah, Rudlinde. Also weiblich. Rudlinde hatte als Ausgangspunkt für ihre Erfahrungssammlung die Astral-Ebene zugewiesen bekommen. Dort war sie auch eine ganze Weile gewesen, bis ihre Signatur plötzlich verschwand. Er prüfte nochmals nach. Nein, stimmte nicht. Die Signatur war nicht verschwunden, sie war nur vollkommen verändert. Was war das? S1 grübelte. Sicher, er erinnerte sich dunkel, schon mal davon gehört zu haben, dass Signaturen geändert werden konnten. Wie war das noch? Dann fiel es ihm wieder ein. Jemand hatte mal erzählt, dass die Kreaturen von La-KeTo Wesen in der Astralwelt und auch anderswo kidnappten und dann deren Signaturen veränderten. Damit sie nicht gefunden werden konnten. Aber diese Signaturänderung war nur zu einem Teil möglich, ansonsten würden die Gekidnappten unbrauchbar. Unbrauchbar wofür eigentlich?

O-oh, heiliger Sternenstaub! Das war übel, richtig übel! Er würde das mit Dringlichkeitsstufe 2 melden müssen. Mist, Mist, Mist! Er hatte keine Chance, die Chronik zu manipulieren, da alles grundsätzlich in der Akasha-Chronik aufgezeichnet wurde. Und in der konnte nichts geändert werden. Da stand alles unwiderruflich drin.

S1 überkam großes Mitleid mit sich selbst. Womit hatte er das verdient? Warum musste bei ihm alles so ... so − ach, könnte er doch nur ausschließlich seinen wissenschaftlichen Tätigkeiten nachgehen! Zutiefst deprimiert, zog er sich in seinen Ruheraum zurück. Zuvor schaute er noch flüchtig auf den Monitor, der Robin im Krankenbett zeigte. Eine Frau stand an seinem Bett. Na und? Was ging ihn das an?

Das sahen F4 und PA38Xf ganz anders. Sie standen dicht nebeneinander, leuchteten wie Pfirsiche in leichtem Rosa, grinsten und strahlten. PA38Xf hüpfte und klatschte in die Hände. Mit höchster Konzentration betrachteten sie die Szene: junge Frau am Krankenbett von jungem Mann.

Der junge Mann, Robin, lag reglos auf dem Bett, immer noch stark bandagiert, immer noch an alle möglichen Geräte und Schläuche angeschlossen. Ihm kam ein altes Lied in den Sinn, das sein Großvater ihm manchmal vorgesungen hatte, wenn er traurig gewesen war. Robin erinnerte sich an den Text, sodass er dieses Lied leise vor sich hin summte.

> *Hast du da droben vergessen auch mich?*
>
> *Mein Herz, das sehnt sich nach Lieb' und Glück.*
>
> *Du hast da droben viel Englein bei dir.*
>
> *Schick doch einen, ach einen zu mir.*

Er vernahm vor seinem Krankenzimmer ein Klack-Klack-Klack im Flur. Dann klopfte es an der Tür. Ohne auf ein Herein zu warten, öffnete die sich jetzt langsam und die Sonne leuchtete voll auf. Robin glaubte seinen Augen, also dem einen, das offen war, nicht trauen zu können. Er starrte auf die Gestalt, die da reglos im Raum stand. Was für ein Anblick! Nicht, dass er besonders religiös gewesen wäre, aber was da vor ihm stand, das war ein Engel. Sollte sein Lied so schnell gewirkt haben? Nur ein Engel konnte so aussehen: eine zierliche Gestalt, langes, blondes, gewelltes Haar, ein Gesicht wie auf einem Gemälde. Nur die Augen waren hinter einer Sonnenbrille verborgen. Und diese Lippen! Diese kleine, zuckersüße Nase, die leicht betonten Wangenknochen, das beinah puppenartige Kinn. Wow! Dann sprach diese Gestalt, die weiterhin reglos dastand und den gesamten Raum in Sonnenlicht tauchte.

„Robin?"

Robin erschauderte. Diese Stimme! Weihnachtsglocken konnten nicht herrlicher sein! Er räusperte sich kurz: „Ja." Mehr brachte er nicht heraus.

Dieser Engel drehte sich nun in die Richtung, aus der er die Stimme gehört hatte.

„Ich bin Mia."

Mia. Mia. Mia. Robins Herz sang dieses Wort, nur mit dem Sprechen war es schwierig. So sagte er wieder: „Ja."

„Ähm, du weißt, wer ich bin?"

Räusper. „Ja."

„Kannst du auch etwas anderes sagen?"

„Ja."

„Was denn?"

Robin gluckste. „Iff kann flefft freffen."

Nun gluckste Mia. „Stimmt, das hat Ben schon gesagt. Weißt du was, dann werde ich das Reden übernehmen. Und wenn du genug davon hast, dann schläfst du eben ein. Okay?"

„Ja."

„Also, ich bin Mia. Ben hat dir ja gesagt, dass ich komme. Ne, stimmt nicht, er hat gesagt, dass ich zu dir gehen muss. Gibt es hier einen Stuhl?"

„Entfuldigung. Ja. Er feht fwei Fritte vor dir."

Mia tastete vorsichtig mit ihrem Stock und fand den Stuhl. Sie zog ihn sich zurecht, tastete die Entfernung Stuhl – Bett ab und setzte sich.

Robin atmete tief ein. Welch ein Duft! Er betrachtete ihre Hände. Oh, diese kleinen, zierlichen Hände! Wenn sie ihn jetzt berühren würden, könnte er in Frieden sterben. Doch diesen Gefallen taten ihm die Hände nicht.

„Weißt du", begann der Engel, „gestern hätte ich nicht kommen können. Gestern ging es mir nicht gut. Aber dann bekam ich eine tolle Nachricht. Und jetzt geht es mir besser."

Egal, ob dieser Engel das Telefonbuch vorgelesen oder ein Kinderlied gesungen hätte, er fühlte sich wie auf einer Wolke. Trotzdem war ihm kein einziges Wort entgangen.

„Wafifpaffiert?"

„Du weißt ja, dass ich in kurzer Zeit fast blind geworden bin. Ich sehe nur noch wenige Schatten. Und dabei bin ich

Malerin und Designerin. Das kann ich jetzt vergessen. Das macht mich wirklich fertig. Ich dachte, mein Leben wäre zu Ende. Aber gestern erhielt ich die Nachricht, dass mich eine Schule für Physiotherapie zur Ausbildung annimmt. Das war mal mein Alternativ-Berufswunsch."

„fföön. Daf freut mif für diff."

Sie legte ihre Engelshand auf das Bettlaken und meinte: „Du bist ja auch in einer schlechten Situation. Die ganze Nacht konnte ich nicht schlafen, weil ich mir überlegt habe, was mir lieber wäre. Blind oder Rollstuhl? Und ich sag dir was: Rollstuhl wäre mir lieber."

Zu Robins Entsetzen sah er eine Träne hinter der Sonnenbrille hervor rinnen. Das hätte er jetzt gern getan: die Träne mit der Fingerspitze auffangen, sie auf seine Lippen legen, ach!

„In meinem Leben waren mir Farben immer am wichtigsten. Farben, Farben, immer wieder Farben. Und jetzt sehe ich sie nicht mehr." Dann schwieg sie.

Robin wollte etwas Sinnvolles sagen, doch ihm fiel nichts ein. Wie könnte er sie trösten, womöglich aufheitern? Seine Hand wollte ihre berühren. Und dann passierte es. Seine Hand zuckte. Sie zuckte! Ein Finger hob sich. Ein bisschen wenigstens. Aber das konnte sie ja nicht sehen. Er musste sprechen. Er zwang sich zu Worten:

„Iff würde gern dir die Farben befreiben." Die Worte kamen langsam, eines nach dem anderen, um sie möglichst deutlich auszusprechen.

Ein leichtes Lächeln schlich sich auf ihr Gesicht. Ihre Hand tastete über die Bettdecke, bis sie die seine fand. Ein Finger streichelte über seine Hand.

F4 und PA38Xf erschauderten und glühten nun in orange-gelb-weiß. Sie blickten sich an und fassten sich an den Händen. Dann blickten sie weiter auf die Szene.

„Das ist lieb. Vielen Dank. Ich würde dein Angebot gern annehmen. Ich habe ja noch nicht gelernt, allein und nur mit Stock unterwegs zu sein. Ich fühle mich so hilflos. So abgeschnitten vom Leben."

„Nein, nein", protestierte Robin sofort, „du biftnifft allein. Iff werde wieder auf die Beine kommen. Dann können wir unfgegenfeitig helfen."

Sie gluckste. „Na, dann sind wir ja ein schönes Gespann. Ich glaube, wir wären einmalig!"

PA38Xf klatschte wieder in die Hände und rief zu F4: „Jetzt drück schon auf den Knopf."

„Ja, ja, ich mach ja schon." Dann drückte sie den Knopf.

Wie ein Blitz schoss ein Impuls aus Mias Hand auf Robins Hand. Es durchzuckte seinen ganzen Körper, den er schon so lang nicht mehr gespürt hatte. Ein Fuß zitterte, zwei Finger schnellten hoch. Das zweite Auge öffnete sich.

„Mia, kommft du wieder? Mia", er genoss es, ihren Namen auszusprechen, „iff würde mifffehr freuen, wenn du miff wieder befufenkommft. Aber nur, wenn ef dir nifft-fuanfrengendift." Dann fügte er hinzu: „Du wirftftaunen, wie gut iff Farben befreiben kann."

Sie lachte. „Meine Ausbildung fängt erst in vier Wochen an. Bis dahin habe ich Zeit. Und außerdem muss ich üben, mit Stock und blind meinen Weg zu finden. Am besten fange ich gleich damit an und mache mich auf den Nachhauseweg. Morgen komme ich wieder. Ist das okay für dich? Oder habe ich dich zu sehr angestrengt? Ich hoffe, ich habe dich jetzt mit meinen Problemen nicht zugemüllt. Du hast ja deine eigenen Sorgen.“

„Nein, nein, ef war mir eine groffe Freude, daff du hier gewefen bist. Du haft mir fehrfu denken gegeben.“

Vorsichtig erhob sie sich vom Stuhl, tastete Entfernungen ab, um ihn wieder an seinen alten Platz zu stellen.

Robin wollte nicht, dass sie schon ging. So beeilte er sich zu sagen:

„Du kannft den Ftuhl hier ftehenlaffen, du kommft ja morgen wieder.“

„Er wird der Krankenschwester im Weg stehen. Denk daran, ich muss üben, üben, üben.“

Robin hörte wieder das Klack-Klack ihres Stockes, sah den Engel sich der Tür nähern. Mia drehte sich noch mal um, legte einen Finger an die Lippen und schickte einen Kuss zu ihm.

Robin war fix und fertig. Ein Engel war in sein Leben getreten! Ein Engel, der seine Hilfe brauchte. Und es gab nichts, was er mehr wollte, als ihr eine Hilfe zu sein. Und er fasste den Entschluss, wieder auf die Beine zu kommen. Egal, was die Ärzte sagten.

Da umarmten sich F4 und PA38Xf. Und tanzten neben dem Monitor im Kreis: „Es klappt, es klappt! Und wird immer besser."

In der Nacht machte die Krankenschwester einen Kontrollgang durch alle Krankenzimmer. Auch in Robins. Was war denn das? Ein Bein von Robin hing aus dem Bett. Wer war denn hier gewesen? Robin selbst konnte das unmöglich gemacht haben. Vorsichtig hob sie sein Bein an und legte es wieder unter die Bettdecke. Robin schlief, bemerkte es nicht. Aber soweit man es unter dem dicken Verband sehen konnte, lächelte Robin.

Mutter Erde in Rage

Die Energiewesen der Dimensionen 9 und 10 traten als Abgeordnete nacheinander vor den Großen Rat, um einen anfänglichen Bericht abzugeben. Die Ratsmitglieder wollten erste Ergebnisse der Rückholungsaktion hören, ob denn nun endlich genügend Menschen mit Erderfahrung zur Verfügung stünden. Nur darum waren sie schließlich als Strahlen und Sternchen ausgesandt worden. Es gab aber kein Ergebnis. Trotz aller Bemühungen war es den Abgeordneten nicht möglich gewesen, auch nur annähernd ein Bild der gegenwärtigen Situation zu liefern. Bruchstückhaft wurden die Ratsmitglieder informiert, dass Bemühungen stattfänden, angestrengte Bestrebungen, ernsthafte Aufforderungen. Das war dann aber auch schon alles.

Die Mitglieder des Großen Rats waren sprachlos. Da stand ihre neue Galaxie – und es gab keine Bewohner. Genau dafür aber war die neue Galaxie doch vorgesehen! Stille trat unter den Mitgliedern des Großen Rats ein. Eine lange, unheilvolle Stille. Dann brach das Chaos aus. Einigen jüngeren Ratsmitgliedern platzte der Kragen, und sie brüllten los: „Ja, gilt denn unser Wort gar nicht mehr? Ignoriert hier jeder unsere Anweisungen? Macht denn hier jeder, was er will?"

Dann brüllten alle durcheinander. Nur der Älteste hüllte sich in seine Lichtenergie und schwieg.

Das Gebrüll war derart laut, dass es durch die gesamte Galaxie schallte und alles, wirklich alles, in Vibration versetzte, danach wankte, wackelte oder sich drehte und umfiel.

Mutter Erde, wie sie von vielen liebevoll genannt wurde, geriet dadurch derart aus dem Rhythmus, dass sie beinah aus ihrer Bahn geworfen worden wäre. Natürlich hatte das direkte und sofortige Auswirkungen auf Erdplatten, Vulkane und Ozeane.

Einige Wissenschaftler fielen in Ohnmacht, erstarrten, erblassten und rieben sich die Augen. Das, was soeben geschehen war, war unfassbar und einfach unmöglich! War es etwa das Ende der Welt? Hatten die Propheten doch recht gehabt, als sie vom Untergang der Erde gesprochen hatten?

Mutter Erde blickte nach außen in die verschiedenen Dimensionen und wurde prompt überschüttet mit Gerüchten. Das Erste, was sie hörte, war „Nachwuchsmangel". Dann folgten Aussagen wie „Zwangsrückholung der Erdlinge", „Sintflut", „Ausrottung der Erdlinge", und weitere wilde Gerüchte.

Mutter Erde schüttelte den Kopf. Ups! Jetzt hatte sie versehentlich noch ein Erdbeben ausgelöst. Sie musste sich zusammenreißen, damit nicht noch mehr passierte. Doch je mehr sie versuchte, sich zu beruhigen, desto ärgerlicher wurde sie. Ohne, dass sie es wollte, steigerte sich ihr Ärger derart, dass sie nahe dran war zu platzen. Dann schrie sie in die Dimensionen hinein:

„Seid ihr jetzt alle durchgedreht? Spinnt ihr total? Wer hat das gemacht? Was brüllt ihr so rum, dass hier alles kaputt geht? Wer ist dafür verantwortlich? Soll etwa ich wieder mal alles ausbaden, was ihr verzapft? Für eure Fehler und Fehlentscheidungen geradestehen?! Ich denke nicht daran!"

Nun war sie so richtig in Rage und schrie weiter:

„Und euer Gelaber kann ich auch nicht mehr hören: Ach, die liebe Erde, unsere gute Mutter Erde, die macht das schon, sie ist ja so perfekt und liebevoll. Alles hat sie im Griff und ist sooo geduldig. Nein! Und nochmals nein! Meine Geduld ist jetzt am Ende. Ich habe für euch ganz wunderbare Wesen mit der Sintflut unter Wasser gesetzt. Ich habe mich einige Mal wegen eurer dämlichen Entscheidungen vollkommen neu aufbauen müssen. Und jetzt, wo alles wieder wunderbar ist, macht ihr es schon wieder kaputt!"

Mutter Erde konnte sich gar nicht mehr beruhigen.

„Und wer hat eigentlich den Menschen, den Erdlingen, diesen Mist erzählt, dass sie aus dem Paradies vertrieben worden wären? Habt ihr ihnen einen Schleier vor die Augen gelegt, damit sie nicht sehen können, dass sie immer noch ein Paradies zum Leben haben, hä? Ich habe mir jede nur erdenkliche Mühe gegeben, damit sie endlich ihre Augen öffnen, damit sie sehen lernen, dass alles vor ihnen liegt, was sie zum Leben brauchen. Und ihr, was macht ihr? Ihr lasst einfach zu, dass diese KI-Invasoren zu mir kommen. Ihr habt dabei versagt, die Sternentore zu bewachen! Ihr habt dabei versagt, die Zeitlinien zu kontrollieren. Wie oft habe ich euch das gemeldet! Wie oft, hä? Und jetzt habt ihr den Schlamassel, dass keiner mehr auf euch hören will. Weil ihr sie im Stich gelassen habt! Nix da, von wegen Freiheit des Willens. Ihr habt zugeguckt und weggesehen, wie an meinen Erdlingen nach und nach immer wieder manipuliert wurde. Und jetzt, mit einem Mal, sollen sie einfach so das Bewusstsein haben, dass sie mehr sind als nur ein Erdling und auf eure dämliche, neue Galaxie wandern? Als wäre das hier bei mir alles nichts wert! Wisst ihr was, ich werde jetzt streiken, bis ihr wieder zur Besinnung kommt! Und lasst euch endlich mal was Richtiges, etwas wirklich richtig

Gutes einfallen! Und außerdem, damit das endgültig klar ist: Die, die ihr Erdlinge nennt, sind Menschen. Habt ihr verstanden! M-e-n-s-c-h-e-n. Ist das jetzt ein für allemal klar? Und damit ihr es endlich kapiert, noch mal: Alle Wesen auf und in mir sind Erdlinge, Erdenbürger, Erdwesen, und sie alle sind meine Kinder. Aber die, die ihr meint, das sind Menschen. Ist das jetzt angekommen? So, das war's. Ich streike jetzt!"

Noch völlig außer Atem nach ihrem Wutausbruch, wandte sie sich an die Sonne, ihre geliebte, schwesterliche Freundin: „Kannst du mir bitte einen ordentlichen Flare schicken? Ich brauch das jetzt. Sonst glauben alle, dass es mir nicht ernst ist."

„Liebe, jetzt hast du aber ordentlich Dampf abgelassen! Fand ich gut, was du gesagt hast. Und du hast recht. Warte einen Moment, ich muss mich erst aufbauen. Ein größerer Flare war jetzt grad nicht vorgesehen."

Die Sonne holte sich kurz das Okay der Zentralsonne, die ihr verschwörerisch zuzwinkerte. Dann atmete sie tief ein und spuckte eine gewaltige Menge an Gasen aus. Die Wucht war derart stark, dass das Magnetfeld der Erde für kurze Zeit an einem Pol zusammenbrach. Da aber Mutter Erde mit ihrem großen Herzen doch ein bisschen Reue über ihren Entschluss empfand, hatte sie sich Sekunden vor dem Aufprall des Flares leicht zur Seite gedreht, um den ganz großen Schaden zu vermeiden. Die Wissenschaftler auf der Erde verfielen erneut in Panik.

Mutter Erde musste nun doch lachen: „Meine liebe Schwester, das war aber echt gewaltig! Ich muss jetzt mal sehen, was meine Menschlein machen. Ich schätze, dass so einiges zusammenkommt."

Wie recht sie hatte! Was sie nicht ahnen konnte, waren Auswirkungen ganz anderer Art. Der Stromausfall auf einer Halbkugel der Erde war zu erwarten gewesen. Heftig, wirklich heftig! Dazu kam der Ausfall aller Funkverbindungen. Das war am schlimmsten für jene Menschen, die sich vollkommen der KI-Technologie überantwortet hatten. Für die bedeutete dieser Vorfall das Ende aller Tage. Zu ihnen murrte die Erde nur: „Und? Habt ihr ernsthaft geglaubt, dass ihr mich beherrschen könnt?!"

Andererseits gab es Regionen, in denen verheerende Verwüstungen durch Feuer, Wasser und Sturm vielen Menschen das Leben gekostet hatte. Die Seelen verließen ihre Körper und gingen nach Hause. Als Seele wussten sie, wo ihr Zuhause war. Und alle wurden liebevoll von den Wesen der höheren Dimensionen, ihren Engeln und Verstorbenen in Empfang genommen. Eilends war eine astrale Blase geschaffen worden, in die die Seelen geführt wurden, um sie gleich von ihren Traumata zu befreien.

Mutter Erde ärgerte sich etwas, weil sie nun doch wieder unbeabsichtigt den Oberen in die Hände gespielt hatte: Die erste Mannschaft „Nachwuchs" war damit bei ihnen eingetroffen. Zu viele Menschenseelen hatten wegen der letzten Ereignisse ihre Körper auf der Erde verlassen müssen und waren bereit, die neue Galaxie zu besiedeln. Oder hatte man sie womöglich dazu überredet? Den Oberen traute Mutter Erde mittlerweile alles zu.

Aber so nicht! Nein, so nicht! Nicht mit ihr! Sie liebte ihre Menschen trotz allen Kummers, den sie ihr oft bereitet hatten. Einige waren einfach wunderbar, andere wiederum schienen einfach nichts begreifen zu können. Aber das war ja nicht anders zu erwarten gewesen. Die jungen Seelen, die noch nie oder nur wenige Male auf der Erde einen Körper bewohnt hatten, machten versehentlich so manches kaputt, die halbwüchsigen Seelen gingen ihrem Zerstörungsdrang nach bei ihrem Versuche, alles auf ein mal ausprobieren zu wollen, und die älteren Seelen bemühten sich um Schadensbegrenzung. Beinahe geriet die Erde ins Träumen. Die alten Seelen, die 8-er Menschen: Die, die ACHT gaben, die beobACHTeten, die, die bedACHTen, was sie taten. Dagegen standen die M-ACHT-Menschen, die andere in die OhnmACHT führten. Es war nicht deren Schuld. Sie konnten nichts dafür. Und da galt es jetzt, Abhilfe zu schaffen. Zuerst jedoch musste sie unbedingt die ihr so treu ergebenen Helfer beruhigen: das Wasser, das Feuer und die Luftelemente.

In der gesamten Galaxie herrschte angespanntes Schweigen. Ab der zehnten Dimension versuchten alle Wesen, so weit es ging, in dichtere Dimensionen abzusteigen, um so viel wie möglich beobachten zu können. Selbst in angrenzenden Galaxien war die Nachricht mit einer Vielzahl weiterer Gerüchte angekommen: Die Erde ist am Platzen! Das musste man sich unbedingt ansehen! Also kamen auch noch Besucher aus anderen Galaxien.

Ba-Hua-Mnu schaffte es, sich bis zur neunten Dichte herunter zu verkörpern. Er nahm jedes Detail auf. So war es ihm möglich, alles gleichzeitig zu sehen und in sich abzuspeichern. Kti-Ram-Thu und ihre Schwestern gingen sogar bis zur Grenze der sechsten Dichte. Alle starrten auf die Erde.

Der Große Rat schickte ständig Boten nach unten: „Und? Und? Was ist jetzt? Was ist passiert?" Nur der Älteste blieb weiterhin in seine Blase gehüllt, lächelte und schwieg. Noch.

Da alle Aufmerksamkeit derart auf das Geschehen auf der Erde gerichtet war, hatte niemand eine ganz andere Veränderung wahrgenommen. Das Loch im Magnetfeld der Erde – es schloss sich nicht. Im Gegenteil, das Magnetfeld zog Risse, bekam kleine Lücken und Löcher. Die Hülle waberte, verdickte sich an manchen Stellen, im Großen und Ganzen jedoch dünnte es aus. Die Folge davon war, dass auch die künstliche Matrix aufbrach.

Anfangs merkte niemand etwas davon. Der Prozess begann schleichend. Nachdem die Radiosender als erste ihre Notstromaggregate eingesetzt hatten, posaunten sie ihre Nachrichten und Informationen in die Welt hinaus: „Dies ist der Weltuntergang. Armageddon ist jetzt! Dies ist die Apokalypse! Wir werden alle sterben. Die Prophezeiungen haben sich erfüllt. Kommt zu uns, wir führen euch zu Gott! Unsere Freunde, die ETs, werden uns ihre Raumschiffe zur Rettung senden. Die Regierung hat alles im Griff. Jedem wird geholfen. Der Mensch hat alles verursacht. Die Autos und die Kühe sind schuld!"

Wer ein batteriebetriebenes Radio besaß, lauschte natürlich jedem Wort. Anfangs. Doch dann mehrten sich die Stimmen: „Was erzählen die denn da? Das kann doch nicht wahr sein. Nein, das stimmt nicht! Das ist doch Augenwischerei. Wollen die uns für blöd verkaufen?" Und vieles mehr.

Der Schleier im Bewusstsein der Menschen lichtete sich. Und dies würde einige Folgen haben. Jedoch nicht sofort.

Als nach einiger Zeit, die in jeder Dichte unterschiedlich ausfiel, etwas Beruhigung auf der Erde eingekehrt war, zog sich Ba-Hua-Mnu nach D12 zurück. Er war sehr nachdenklich geworden und grübelte vor sich hin. Was er beobachtet hatte, erklärte ihm so einiges.

Jeder kann es

Beinahe unberührt von der ganzen Aufregung schienen F4 und PA38Xf zu sein. Deren Aufmerksamkeit galt ungebrochen ihrem „Projekt Robin".

„Sag mal, PA38Xf, wie hast du es eigentlich angestellt, dass sich Robin gleich in Mia verliebt hat?"

„Och, das war ganz einfach."

„Wie, einfach?"

„Du musst nur genau hinsehen. Wenn du das tust, wirst du merken, dass jeder Mensch Energieströme aussendet. Das sind ganz dünne Lichtfäden. Siehst du das?"

„J-jaaa, ich glaube, ich sehe das."

„Und diese Fäden kann man mit anderen verbinden oder über diese Fäden Informationen oder Energien an sie schicken. Ich habe zwei Fäden von Robin und Mia miteinander verknüpft. Das ist alles."

F4 staunte: „Das ist alles?"

„Ja, mehr nicht. Aber weißt du, diese Fadenverknüpfung ist nur eine Art Angebot. Wenn ein Mensch, das bevorzuge ich gegenüber dem Wort Erdling, das Angebot nicht annehmen möchte, löst sich die Verknüpfung von allein. Als wäre nichts gewesen. Für die Menschen ist es dann wie eine Chance, manche nennen es auch Zufall. Zufall aber nur dann, wenn sie offen genug sind, dies auch zu sehen. Aber man darf nie, niemals eine bestehende Verbindung auflösen. Das wäre sehr schlimm und steht allen kosmischen Gesetzen entgegen. Denn es könnte eine karmische Familiengeschichte sein. Oder sich um Seelen handeln, die sich verschiedene Aufgaben zugedacht haben. Verstehst du?"

Kti-Ram-Thu hörte AN-NA zu. Sie konnte sich ein Lächeln nicht verkneifen. Dieses Dingelchen! Schon wieder machte sie Alleingänge. Was hatte AN-NA schon für Wirbel gesorgt! AN-NA war ihr beim Aussenden ihrer Strahlen einfach so durchgerutscht, ohne auf irgendeine Anweisung zu warten. Dann hatte sie es sogar geschafft, sich allein so zu verdichten, dass sie auf der Erde geboren werden konnte und nun dort auch lebte. Schlau wie sie war, hatte sie ihre unverwechselbare Codierung beibehalten und nannte sich nun Anna. Regeln und Vorschriften waren für sie lediglich grobe Richtlinien, die sie stets zu umgehen versuchte. Sie ermächtigte sich immer wieder selbst, Dinge auf ihre Art zu regeln. Niemals jedoch hatte sie irgendjemandem oder irgendetwas Leid oder Schaden zugefügt. Zugegeben, das brachte ordentlich Schwung in so manche Angelegenheit, aber was sie da jetzt schon wieder trieb! Amüsiert horchte Kti-Ram-Thu weiter, und dies ließ sie für einen Moment ihre großen Sorgen vergessen.

AN-NA spürte sehr deutlich, dass sie von ihrer Strahlenmutterbeobachtet wurde. Doch das störte sie keineswegs. Sie plapperte weiter, während F4 staunend zuhörte.

„Und du sagst, das kann jeder von uns?", fragte F4.

„Natürlich. Weil es das Natürlichste überhaupt ist. Du musst dich nur selbst ermächtigen, etwas zu tun. Vorausgesetzt, du bist dir über die weiteren Folgen im Klaren. Da musst du vorher genau hinsehen. Denn alles kommt auf einen zurück. Du musst glauben, tief in deinem Herzen, dass du alles kannst. Der Geist herrscht über die Materie. Was du willst, das kann auch geschehen."

Just in diesem Moment hatte sich über dem Krankenbett von Robin das Energiefeld so weit gelichtet, dass die letzten Worte von Anna durchsickerten und Robin wie Blitze in seine Gedanken fuhren:

„Du musst glauben, tief in deinem Herzen, dass du alles kannst. Der Geist herrscht über die Materie. Was du willst, das kann auch geschehen."

Das war es! Genau das. Robin sortierte kurz seine Gedanken, dann murmelte er seinem Körper zu: „Hör zu, du mein Gefährt, mein Gefährte, mein Vehikel! Lass uns einen Deal machen. Du fängst wieder an, dich zu bewegen, und im Gegenzug werde ich dir das schönste Leben bieten, das du jemals hattest. Ich helfe dir, ich unterstütze dich, aber du musst auch etwas tun. Ich werde dir in den Arsch treten, ich werde deine Schmerzen aushalten, ich werde dich antreiben, ich werde dich nicht in Ruhe lassen, bis du es geschafft hast. Und wenn du nicht mitspielst, dann rechne damit, dass ich dich auslösche. Und wie es scheint, willst du das nicht. Also: mach!"

Die Energie, die dabei seinen Körper durchströmte, ließ zwei seiner Finger zucken.

„Weiter, Finger, macht weiter. Ihr schafft das. Los!"

Wieder zuckten die Finger.

„Ihr macht das hervorragend! Weiter, weiter."

„Oh", staunte nun auch Anna. „Ich wusste gar nicht, dass er mich hören kann. Hm! Da könnte man mehr daraus machen." Dann grinste sie.

Einen Tag später betrat Ben wieder Robins Krankenzimmer.

„Rob, bist du das?"

„Ja, wer den fsonfst."

Robins Kopfverband war abgenommen worden. Sein Gesicht war noch verquollen. Pflaster, Nähte, blaugrüne Flecken gaben seinem Gesicht das Aussehen einer Gestalt aus Rocky Horror Picture Show. Das zweite Auge ließ sich jedoch schon wieder zur Hälfte öffnen.

„Du siehst vielleicht aus! Ein Glück, dass dich Mia so nicht sehen kann."

Elektrisiert wiederholte Robin sofort „Mia!"

„Ja, sie war ja hier. Sie hat erzählt, dass du richtig süß wärst."

„Fsssüfsss?" Robin sprach langsam, da er sich über die sprachliche Rückkehr des S so sehr freute.

„Ja, sie hat sich nicht getraut, jetzt auf die Straße zu gehen und will warten, bis sich die Lage etwas beruhigt hat. Wie ich sehe, hängst du auch nicht mehr an Schläuchen und Geräten."

„Kein Wunder. Kein Fssstrom."

„Ihr habt hier auch keinen Strom? Ich dachte, die wären in Krankenhäusern an Notstromaggregate angeschlossen."

„Schschon. Aber die reichchen nur für die OP-Fssäle, die Inten-fssssiv-fsstationen und für die Kinder. Wir kriegen hier jeftzt nur Fsssaft und Brot. Ifssst aber okay.

„Du glaubst nicht, was draußen gerade los ist! Nichts funktioniert mehr. Ich bin mit dem Fahrrad gekommen. Hoffentlich klauen sie mir das nicht. Ich habe sicherheitshalber gleich drei Schlösser drangemacht. Jetzt merkt man erst, dass ohne Strom bei uns wirklich überhaupt nichts mehr funktioniert. Kein Wasser, keine Heizung, kein Benzin, und die Lebensmittelgeschäfte öffnen erst gar nicht. Zum Teil wurden dort schon Scheiben eingeschlagen, und die Leute haben geplündert. Und glaub' bloß nicht, dass Handys und Telefone noch funktionieren! Vom Internet ganz zu schweigen. Ich kann nur beten, dass das bald aufhört. Ich meine, dass wir bald wieder Strom haben. Himmel, mir war nie klar gewesen, wie abhängig wir mittlerweile vom Strom sind. Da funktioniert ja überhaupt nichts mehr! Die Polizei brauchst du auch nicht versuchen zu erreichen. Die ist mit den Plünderern beschäftigt. Nur das Radio funktioniert noch ab und zu. Und die spinnen total. Wenn die nicht gerade von den letzten Katastrophen berichten, dann erzählen sie vom Weltuntergang, und dass unsere letzte Stunde geschlagen hätte. Von der Regierung hört man nichts. Die haben sich wohl in ihren Bunkern vergraben. Ein paar Autos haben noch Benzin. Aber die Fahrer müssen aufpassen, dass man sie nicht aus dem Auto holt und das Auto klaut. Schlimm, kann ich dir sagen, schlimm! Zum Glück hat meine Oma immer Eingemachtes und einen Vorrat im Keller. Und Kartoffeln. Wir werden uns schon irgendwie durchschlagen. Wasser haben wir auch noch. Aber sag, wie geht es dir?"

„Gut. Ifchch bin beschschäftigt."

Bens Augenbraue zog hoch. „So? Was machst du denn?"

„Ich baue ein elektronischschefs Board."

„Aha", bemerkte Ben verdutzt, „ein elektronisches Board. Aja." Er fragte sich allen Ernstes, ob sich Rob überhaupt darüber im Klaren war, in welchem Gesundheitszustand er sich befand. Schließlich war er kopfabwärts gelähmt, wie die Ärzte gesagt hatten. Wollte er etwa Stephen Hawkins Konkurrenz machen?

„Die ersssste Idee hab ich schschon."

„Aha."

„Danke, dafsss du dir die Mühe gemacht haffsssst, herzukommen. Aber ich bin jeftzt müde, weil ich schschonssso viel gearbeitet habe."

„Schon okay. Ich wollte nur mal nachsehen, ob bei dir alles klar ist." Insgeheim dachte er jedoch besorgt, dass Robin geistigen Schaden genommen haben musste.

Ben war entgangen, dass sich die ganze Zeit über zwei Finger von Robin ständig bewegt hatten.

Überlegungen

Mutter Erde betrachtete den Schaden, den sie durch ihren Wutanfall angerichtet hatte. Oh je! Das war ja schlimmer als beabsichtigt und erzielte mit Sicherheit nicht den Effekt, den sie angestrebt hatte. Eigentlich hatte sie überhaupt nichts beabsichtigt. Es war einfach passiert.

Ihre Gefährten Feuer, Wasser und die Sylphen der Luft hatten sich beruhigen lassen. Die armen Tiere jedoch, die waren völlig durcheinander. Und die konnten ja am wenigstens dafür! Über die Pflanzen musste sie sich keine Sorgen machen, da die so eng mit ihr verbunden waren, dass sie alles bereits im Voraus wussten und sich anpassen konnten. Aber die Menschlein! Es gab noch so viele Menschen, die sich ihrer göttlichen Herkunft nicht bewusst waren, sondern ängstlich und ständig zweifelnd ihre Tage verbrachten. Oder die ewigen Zweifler mit ihren Worten: „Ich glaube nur, was ich anfassen kann!" Mutter Erde verkniff sich ein Kichern. Konnten diese Menschlein die Luft anfassen, oder die Liebe oder das Gefühl, etwas gut gemacht zu haben? Tja, da zeigte sich, wer tatsächlich mit ihr verbunden war, wer bereit war, eins zu sein mit allem. Menschen mit solchem Bewusstsein waren meist alte Seelen. Sie vertrauten ihrem Schicksal und blieben gelassen, denn sie verstanden, dass grundsätzlich alles seinen Sinn hat. Sie wussten, dass ihre Seele unsterblich ist und sie deshalb nichts zu befürchten hatten. Die wussten auch, auf welch schwerem Weg ihre Erde gerade war und dass nicht alles „normal" verlaufen würde. Aber die anderen …

Mutter Erde hatte immer versucht, so langsam wie möglich und doch zügig ihren Weg in die fünfte Dimension zu schaffen. Sie war schon weit gekommen: 54.000 Jahre lang war sie bereits unterwegs, um ihren Kreislauf von der Ursonne zurück zur Ursonne zu gehen. Sie hatte bereits den Gürtel ihrer Heimat zur zentralen Ursonne erreicht. Es fehlte nicht mehr viel. Je näher sie der Ursonne kam, desto höher schwang ihre Frequenz. Immer wieder legte sie kurze Verschnaufpausen für die Menschen ein, die so unglaublich langsam — wenn überhaupt — bewusstseinsmäßig folgen konnten. Die meisten klagten jedoch nur über Schwindelgefühle, Müdigkeit, Kreislaufbeschwerden und rannten zum Arzt, der nicht wirklich helfen konnte. Denn den meisten Ärzten ging es ja ganz genauso. Sie konnten einfach nicht verstehen, dass dies die natürlichen Auswirkungen der immer lichter werdenden Dichte waren, dass alle Körper sich an die neue Dichte anpassen mussten, dass die Erde ihnen ständig Zeichen gab, was für ihre Körper am besten wäre: Ruhe, sich aus der Hektik zurückziehen, in die Natur gehen und viel gesundes Wasser trinken.

Mutter Erde beschloss jetzt, zur Schadensbegrenzung in die völlige Ruhe zu gehen. Sie würde nur minimal vibrieren, sodass der Strom zwar wieder floss, die Funkverbindungen aber weiterhin fehlerhaft blieben. Ja, das war eine gute Idee. Also verharrte sie. Vielleicht ein wenig zu lang, denn die Wissenschaftler fielen darüber in ihre nächste Ohnmacht.

Währenddessen war Ba-Hua-Mnu in tiefes Nachdenken versunken. All seine Monitore waren auf die Erde gerichtet, doch sah er die Bilder und Szenen kaum noch. Was war nur schiefgelaufen? Was hatte er damals übersehen? Er musste alles von Anfang an überdenken.

Als die ersten Wesen auf die Erde gekommen waren, hatte die Priorität darauf gelegen, dass sie überleben, sich akklimatisieren, anpassen und fortpflanzen konnten. Aus diesem Grund hatte die Erdbesiedlung zu einem Zeitpunkt größter Dichte begonnen, als das Magnetfeld der Erde am stärksten und undurchdringlichsten war. Das sollte den Erdlingen helfen, im wahren Sinn des Wortes, Fuß fassen zu können und sich nicht daran zu erinnern, woher ihre Seelen kamen. Denn sonst hätte es ja passieren können, dass sie ihre neue Aufgabe auf der Erde nicht ernst genommen hätten und lieber wieder nach Hause zurückgekehrt wären. Sicher, die Wesen, Energien und Wesenheiten hatten sich alle ohne jeden Zwang ausdrücklich und freiwillig dazu bereit erklärt, diesen Versuch zu wagen, als Menschen mit Körpern aus Fleisch und Blut die Erde zu besiedeln. Allerdings waren sie sich wohl nicht darüber im Klaren gewesen, dass sie hierzu alles, wirklich alles, vergessen mussten. „Oder hatte man ihnen dies wohlweislich verschwiegen?", grübelte Ba-Hua-Mnu.

Im Anfang bestand die Aufgabe der Menschen ganz klar darin, sich vor Wind und Wetter zu schützen. Behausung, Bekleidung und Nahrung hatten Priorität: Es galt zu überleben. Die ersten Schritte der Menschen waren schwerfällig, aber sie lernten schnell. Sie achteten auf ihre Sicherheit, erkannten, dass die in einer Gemeinschaft am besten funktionierte. Dort ergänzten sie sich und bildeten je nach Nahrungslage immer größere Gemeinschaften. Dann verstanden sie, dass es ihrem Sicherheitsbedürfnis am meisten diente, wenn sie sich einem starken Menschen anschlossen. Das hatte zur Folge, dass sie sich dessen Regeln unterordnen mussten, was sie auch taten. Taten sie es nicht, wurden sie aus der Gemeinschaft ausgeschlossen und waren mehr oder weniger schnell dem Tod ausgeliefert. Also diente ihre

Unterwerfung einzig dem Überleben. So weit, so gut. Aber was geschah dann? Die Starken, anfangs die körperlich Starken, später die Gescheiten, begannen, diese Unterwerfung auszunutzen. Sie häuften für sich Dinge zum Überleben an, erhoben sich über andere und kümmerten sich nicht mehr im ursprünglichen Maß um das Leben jener Menschen, die unter ihnen Schutz gesucht hatten. Das Ganze ging so weit, dass die inzwischen Mächtigen und selbst manche Ohnmächtigen das Gut anderer begehrten, um selbst mehr zu haben. Sie waren nie satt. Sie hatten nie genug. Es musste ständig mehr und mehr werden.

War das der Grund, warum die Menschheitsentwicklung auf diese ungute Weise weitergegangen war? Weil der erste, stärkste Trieb das Überleben war? Überleben durch Sicherheit, Absicherung der Grundbedürfnisse. Und dann? Hatte einer genug Sicherheit, strebte er nach Anerkennung in vielfacher Hinsicht: erst Liebe und Geborgenheit. Dann wollten Menschen mit allen Mitteln durch materiellen Besitz zeigen, wie weit sie es gebracht hatten. Jedes Mittel war ihnen dazu recht: Der Zweck heiligte die Mittel. Erwerb und Besitz lösten Neid aus, Kriege begannen, Menschen wurden durch Menschen geopfert. Es galt, mehr und mehr besitzen zu müssen, mehr wert zu sein als andere. Das hatte zwar vermutlich nichts mehr mit dem Überlebenstrieb zu tun –da war sich Ba-Hua-Mnu allerdings nicht ganz sicher. Vielleicht hätte man etwas mehr Genügsamkeit oder Bescheidenheit einfügen müssen? Andererseits hatte er Menschengruppen beobachtet, die ihre Genügsamkeit derart zur Tugend erhoben hatten, dass zur Askese pervertiert werden konnte. Der Genügsamkeit haftete ein Geruch von miserablem, traurigem Leben an. Und wer wollte das schon? Sollte das Leben auf der Erde nicht auch Freude bringen, Spaß machen? Außerdem war zu bedenken, dass diese Art Genügsamkeit eher Bremse als Antrieb für jede Art von Entwicklung war. Wo blieben denn da die Fortschrittsmöglichkeiten?

Wie ging es dann weiter mit dem Überlebenstrieb und der Suche nach Schutz? Große Gebäude, Burgen mit Festungen wurden gebaut. Rüstungen, Waffen, immer stärkere und tödlichere. Und jetzt? Was war jetzt? Wenn er die Szenen auf der Erde betrachtete, stieß Ba-Hua-Mnu immer wieder auf diese Themen: Überleben, Schutz und Sicherheit. Aber wie verdreht das alles jetzt war! Große Häuser wie damals, jetzt komplett überwacht, teils durch Menschen, teils durch Elektronik. Überall kursierte das Wort: Sicherheit! Egal, ob es um die Sicherung eines Fahrrads oder Autos ging, eines Hauses, der Privatsphäre oder um die im Orbit herumschwirrenden Details eines Lebens. Alles stand unter dem Motto Sicherheit. War das noch die Sicherheit zum Überleben? Bestimmt nicht!

Hier hätte Ba-Hua-Mnu früher einschreiten müssen. Vielleicht hätte man den Erdlingen die Erkenntnis zukommen lassen müssen, sie daran erinnern sollen, dass ihre Körper nichts anderes als Behälter für die unsterbliche Seele waren. Der Urinstinkt des Überlebens war vielleicht doch zu stark ausgeprägt gewesen. Oder man hätte eine Regelung finden müssen, die wie eine Art Sättigungsgefühl funktioniert hätte … Auf der anderen Seite: Wäre der Erdling zu früh satt geworden, wäre dann nicht einfach alles zum ewigen Stillstand gekommen?

Andererseits war immer vorgesehen gewesen, dass der Erdling eines Tages ganz allein und von selbst zu seiner wichtigsten Erkenntnis kommen sollte. Nach dem „Kuss des Vergessens", den Ba-Hua-Mnu als letztes Detail der Menschwerdung eingefügt hatte, war man davon ausgegangen, dass der nur eine vorübergehende Benebelung sein würde, dass sich die Erkenntnis ganz von allein auslösen könnte: Das Bewusstsein, die Erkenntnis, mit allem immer verbunden, stets eins mit allem zu sein – all das würde von ganz allein kommen. Hatte man gedacht. Doch das war nicht passiert. Warum? Die Erde war ganz planungsgemäß auf ihrem Weg zur zentralen Ursonne. Dadurch sollte ihr Magnetfeld immer lichter werden, damit die Erdlinge leichter Zugang zu ihrer Erkenntnis fänden, damit die Erinnerungen an ihre göttliche Herkunft zurückkehrten. Die Erde hatte wie stets ihre Arbeit getan, oft unter äußerst schwierigen Bedingungen. Und sie kümmerte sich immer noch rührend wie eine Mutter um all ihre Bewohner. Doch je mehr sie tat, desto mehr verloren die meisten Erdlinge den Kontakt zu ihr und der Natur – wie verzogene, verwöhnte Kinder! Und nur so ließ sich auch erklären, dass sie sich wie aus dem Paradies vertrieben fühlten.

Von wem stammte eigentlich diese Geschichte mit der „Vertreibung"? Ba-Hua-Mnu musste die Akasha-Chronik der Erde zu Hilfe nehmen. Oh! Das war ihm bisher nicht bekannt gewesen. Als die Erdlinge sich auf der Erde eingerichtet hatten, Ackerbau und Viehzucht betrieben, für ihr Überleben eigentlich gesorgt war, kamen … – das durfte doch nicht wahr sein! Da hatten sich doch tatsächlich Wesen aus anderen Galaxien auf die Erde geschlichen und voll Lug und Trug behauptet, sie wären die Sternenväter und Sternenmütter der Erdlinge. Und wenn die Erdlinge täten, was diese fremden Eindringlinge wollten, würden sie belohnt werden, ihr Leben wäre sorgenlos und heiter. Anderenfalls würden sie bestraft. Was die Eindringlinge dann auch unter Zuhilfenahme großer Schmerzen wahr machten. Wieder kam das Thema des Überlebens ins Spiel. Und diese Fremdlinge hatten dann auch noch eine künstliche Matrix über die

Erde gelegt, damit kein Erdling jemals erfuhr, wie sehr er betrogen und hintergangen worden war. Die Eindringlinge installierten Institutionen, die den Erdlingen immer wieder einschärften, sie wären schlecht, schuldig und wertlos. Darum müssten sie in ewiger Demut dienen, dienen, dienen. Die Erdlinge wagten nicht mehr, sich zu erheben, etwas offen zu hinterfragen, eigene Gedanken zu haben, geschweige denn, sie mit anderen zu teilen. Und dabei war es dann geblieben. Beinahe jedenfalls. Mittlerweile spürten manche Erdlinge durchaus, dass an diesen Instruktionen etwas nicht stimmte, es fühlte sich falsch an, auch, wenn sie diesem Gefühl selten intensiver nachgingen. Die meisten aber glaubten nur noch, was sie mit diesem Schleier vor Augen gerade noch sehen, beziehungsweise mit Händen greifen konnten. Sie sahen nur noch die Materie, aber nicht mehr den Geist, der alles beseelte.

Erfreulich war allerdings in der Tat, dass immer mehr Erdlinge das falsche Spiel erkennen lernten. Die wussten um ihre Heimat, über die verschiedenen Dichte-Ebenen Bescheid und kannten auch die Kraft ihrer Gedanken, mit deren Hilfe sie unglaublich viel bewerkstelligen konnten – auch auf der Erde. Sie kannten viele kosmische Gesetze und hielten sich daran. Sie lebten mit und von der Erde und waren stets darum bemüht, mit ihr im Einklang zu bleiben. Sie waren der Trost und die Hilfe, die Mutter Erde brauchte.

Und jetzt? Was jetzt? Ba-Hua-Mnu gestand sich seine Fehleinschätzung ein. Besonders aber lastete auf ihm der Vorwurf, den er sich machte, nicht achtsam genug gewesen zu sein. Er hatte zu lange geglaubt, alles wäre bestens und liefe einfach so wie geplant.

Er lachte bitter auf. Nachwuchs! Den konnten sie erst mal vergessen. Der Überlebenstrieb der Erdlinge und ihre Distanz zur Erkenntnis würden es ihnen sehr schwer machen, sich freiwillig von ihrem Körper zu lösen, um die neue Galaxie zu besiedeln. Nie und nimmer! Die Erde würde sich keinesfalls darauf einlassen, noch einmal alles Land zu überspülen, damit genügend Seelen nach Hause kämen. Das hatte sie damals ja schon gesagt: nie wieder eine Sintflut!

Ba-Hua-Mnu war ratlos. Er sah keine Lösung des Problems. Doch das Problem war gerade dabei, sich selbst zu lösen. Nur merkte das immer noch – fast – keiner.

Die Suche

Während Mutter Erde sich eine Verschnaufpause gönnte, schwitzte S1 vor Anstrengung. Mutter Erde hatte sich entschlossen, den Menschen wieder Strom zu geben, denn sie sollten Wasser haben. Wassertrinken war jetzt enorm wichtig. Jedoch verhinderte Mutter Erde weiterhin jede Art von Funkverbindung. Welch himmlische Ruhe! Kriege mussten unterbrochen werden, weil durch die seismischen Anomalien keine Rakete und ähnliches Kriegsgerätfunktionierte. Die Satelliten funkten ohne Ende, jedoch konnte keiner die Signale empfangen. Die Menschen taumelten, torkelten, sie hatten Sprachfindungsstörungen, Schwindelanfälle, Schlafstörungen, Kreislaufprobleme und einiges mehr. Sie waren ganz und gar mit sich allein beschäftigt. Die Elemente Feuer, Wasser und Luft mäßigten sich in ihrem Tun und trugen damit zur Normalisierung bei. Zum Teil jedenfalls.

S1nahm von alledem nichts wahr. Ihn beschäftigte die Formulierung seiner Notiz an Ba-Hua-Mnu, dass sein Sternchen Rudlinde verschollen war. Also schrieb er:

„Kosmischer Sternen- und Strahlensender Ba-Hua-Mnu! Mit großer Bestürzung muss ich Meldung davon machen, dass mein Sternchen Rudlinde verschollen ist. Durch meine starken Bemühungen, meiner Rosemarie in der Vergangenheit ein erträgliches Leben zu ermöglichen, das sie mit großem Leid zu ertragen hat, ebenso mein Robert als Erdling in der Gegenwart, der aufgrund eines schweren Unfalls all seinen Lebensmut verlor, und meine Anstrengungen gegenüber Rich, all seine Erfahrungen in der Zukunft seinen weiteren Zwillingsseelen zugutekommen zu lassen, und meinem großer Einsatz Rudolf gegenüber, der als Kulturreisender einen unschätzbaren Beitrag für unsere Dimension leistete, ist es mir nicht möglich gewesen, auf gleiche Weise mit höchstem Einsatz und Bemühen meine Rudlinde im Auge zu behalten. Meine intensive Suche nach ihr ergab, dass sie in der Astralwelt einer Signaturänderu...“

S1 schlug mit der Faust auf sein Paneel. Heiliger Sternenstaub, verdrehter galaktischer Wirbel, du dämliches Loch in der Dimension ... So ging das nicht! Das konnte er nicht schreiben. Denn mit Sicherheit käme eine Rückfrage, was er in der astralen Welt alles unternommen habe, um Rudlinde, diese blöde schwarze Ziege, zu finden. Er war noch nie in der astralen Welt gewesen und hatte das auch niemals vorgehabt. Aber ihm blieb keine andere Wahl. Nun musste er hin. Ihm grauste schrecklich. Er ließ sich einen Plan der astralen Welt auf dem Monitor zeigen. Hilfe, da sollte er hin! Wo sollte er da anfangen zu suchen? Er suchte nach weiteren Angaben und Hinweisen zur astralen Welt, als er unterbrochen wurde.

„Ein kosmischer Gruß, S1. Ich hoffe, dass ich dich nicht allzu sehr bei deiner Arbeit störe.“

PA38Xf war unbemerkt hinter ihn getreten.

„Kosmischer Gruß auch dir“, brummte er mürrisch. „Worum geht's?“ Nichts kam ihm jetzt ungelegener als der Besuch dieses Dings. Aber er musste vorsichtig sein. Eine „PA“ kam meistens von höheren Dichten, und mit denen wollte er es sich nicht auch noch verscherzen.

Die Bescheidenheit stand PA38Xf ins Gesicht geschrieben, da sie sich jedes Grinsen verkniff, leise sagte sie: „S1, du bist bekannt dafür, ein genialer Wissenschaftler zu sein. Wir“ – kurze Pause, um das „wir“ wirken zu lassen – würden es begrüßen, von deinem Wissen für einen unserer Sternchen Gebrauch machen zu dürfen."

„Für wen?"

„Mia. Sie ist ein Strahlenkind von Kit-Ram-Tha. Sie ist erblindet und ein Freund von ihr möchte ein elektronisches Board bauen, mit dem sie sich sicher auf den Straßen bewegen kann. Da dieser Freund dein Sternchen Robin ist, wird dir sicher daran gelegen sein, dass du durch dein Wissen über Robin eine neue Erfindung auf die Erde bringst, die für viele Menschen, äh, ich meine Erdlinge, ein unschätzbarer Gewinn sein wird."

S1 blickte PA38Xf abschätzend an. Da war was dran an dem, was sie sagte. Das klang nicht schlecht. Doch dann brummte er: „Das geht nicht."

„Oh, ich weiß, dass Robin gerade im Krankenhaus mit einer Lähmung liegt. Aber die Lähmung löst sich, wenn auch langsam. Bald wird er in der Lage sein, auf seinem Laptop zu tippen."

Woher wusste die Kleine das? Warum wusste er das nicht? Ganz einfach, weil er nicht überall sein konnte. Aber das musste die ja nicht wissen. So sagt er kurz: „Ich muss verreisen."

„Ja, ich weiß. Du willst in die Astralwelt."

Das durfte doch nicht wahr sein! Niemand konnte seinen Entschluss kennen! Woher kam dieses Ding? Welche Verbindungen hatte die? Wie funktionierte das, dass sie auch das wusste?

„Ja, so ist es. Und es kann dauern."

„Darf ich dich begleiten? Ich kenne mich in der Astralwelt gut aus. Ich bin schon oft dort gewesen."

S1 dachte nach. Die Idee klang nicht schlecht. Es könnte bei ihren Oberen einen guten Eindruck machen, wenn er sich von dieser Praktikantin begleiten ließe. Außerdem kannte sie sich anscheinend dort aus, im Gegensatz zu ihm. Und wenn etwas schieflief … na, dann musste er das ja nicht gewesen sein. Warum also nicht?

„Wir müssen uns beeilen", sagte er schroff.

„Ja, ich weiß."

‚Ja-ich-weiß, ja-ich-weiß', äffte S1 sie in Gedanken nach. Mal sehen, ob sie auch wusste, dass sie Rudlinde suchen mussten und „Ja-ich-weiß" wüsste dann wohl auch, wo sie zu finden wäre.

„Die letzte Spur von Rudlinde fand ich im Quadrat L44Q5/7", sagte er laut und dachte, jetzt sag bloß nicht, ja ich weiß.

Doch sie sagte es.

Neugierig fragte er in spöttischem Ton: „Und? Wo ist sie jetzt?"

„Das weiß ich nicht. Ich habe sie ja nicht gesucht."

S1 fiel dazu nichts ein. Sie machten sich auf den Weg, wobei natürlich PA38Xf die Führung übernahm.

„Am besten gehen wir durch einen Kanal zur großen Bibliothek. Dort findet man unglaublich viele Informationen. Wenn wir dort nichts finden, gehen wir weiter zum Planungs-Zentrum. Dort müsste es auf jeden Fall was geben.

Zieh' dir bitte deinen Energiemantel an. Wir müssen durch viele verschiedene Energiezonen, und die Anpassung muss schnell erfolgen."

„Du hast doch auch keinen Energiemantel an", bemerkte S1 skeptisch.

„Och, ich bin klein und jung, für mich ist das nicht so schlimm. Außerdem kenne ich das ja."

S1 schüttelte verständnislos den Kopf.

„Ich gehe voran. Du musst anfangs aufpassen, dass du nicht vom Weg abkommst. Da sind Löcher, in die man schnell hineinfallen kann. Es ist schwierig, da wieder rauszukommen. Nachher wird es einfacher."

S1 behagte das Ganze überhaupt nicht. Aber er trottete diesem Ding PA-irgendwas lustlos hinterher.

Schon von Weitem sahen sie riesige Gebäude. Sie wirkten kolossal, waren aber mit Gebäuden auf der Erde nicht zu vergleichen. PA38Xf steuerte auf eine Tür zu, die sich bei ihrem Näherkommen automatisch öffnete.

Ein alter Mann mit langem, weißem Haar blickte ihr entgegen. Dann strahlte er: „Ach, da ist ja wieder unsere liebe AN-NA. Willkommen!"

PA38Xf blickte ihn verzweifelt an, zwinkerte mit einem Auge und sagte kühl: „Du verwechselst mich. Ich bin PA38Xf, und nur eine Praktikantin. S1 hat mir die Erlaubnis gegeben, ihn zu begleiten, damit ich weiter meine Studien durchführen kann. Wir suchen nämlich eines seiner Sternchen, Rudlinde, die verschollen ist, und deren Signatur wahrscheinlich verändert wurde."

S1 stand neben ihr und fühlte sich wie ein Idiot.

Der Weißhaarige verstand jedoch sofort, was AN-NA da spielte, und wandte sich an S1: „Willkommen in unserem Institut! Hast du die Original-Signatur von Rudlinde?"

„Ja", beeilte sich S1, endlich auch etwas zu sagen. „Sie hat die D6-FrequenzS1Mj79AK."

„Ja, dann kommt mal mit. Dann schauen wir mal, was wir finden."

Sie betraten einen Raum mit unendlich vielen Monitoren und ganzen Wänden voll roter kleiner Leuchten. S1, nun ganz in seiner Rolle als Wissenschaftler, betrachtete interessiert die Wände.

Der Weißhaarige meinte anerkennend: „Ich sehe, du bist Wissenschaftler."

„Ja. Ja, das bin ich. Nur leider kann ich durch die Bemühungen für meine Sternchen nicht in gewünschtem Maße meinen Neigungen nachgehen."

„Ich verstehe. Diese Lämpchen hier stehen für die Wesen und Einheiten, die im astralen Bereich in Bewegung sind. Sobald sie sich an einem Ort ständig aufhalten, erlöscht das Lämpchen. Ihre Daten werden dann in einem anderen Raum aufgezeichnet."

„Werden sie denn überwacht?", fragte S1 erstaunt.

Der Weißhaarige lachte. „Nein, auf keinen Fall. Hier, auf diesen Ebenen ist jeder frei zu tun und zu lassen, was er will. In den niederen Königreichen sieht das allerdings anders aus."

„Keine Überwachung?"

„Nein, niemals."

„Das ... das ... heißt, dass die Ebenen sechs, sieben, acht und höher nicht überwacht werden?"

„Nein. Keinesfalls."

„Aber doch die Erde", beharrte S1 zu wissen.

„Die Erde wird von uns auch nicht überwacht. Zumindest, wenn du die Erdlinge meinst. Wir hier oben sind Beobachter. Ab und zu stehen wir den Erdlingen – oder besser den Menschen – bei, geben ihnen kleine Hilfen, machen ihnen Angebote. Aber wir mischen uns nicht in ihr Leben ein. Schließlich wurde alles mit ihnen besprochen, bevor sie auf die Erde gegangen sind."

Die Gedanken schwirrten im Kopf von S1 nur so herum. Zum Glück unterbrach ihn der alte Mann mit den Worten: „Dann wollen wir mal deine Rudlinde suchen gehen. Kommt mit."

Sie betraten einen riesigen, kuppelartigen Saal, in dem Treppen spiralförmig nach oben führten. Auf der dritten Etage blieb der Mann stehen, tippte auf ein Paneel. Es öffnete sich ein Fenster – und das zeigte Rudlinde. S1 hatte nicht die geringste Ahnung, wie Rudlinde aussah. Deshalb murmelte er: „Das könnte sie sein. Sie liebt es, ständig ihr Aussehen zu verändern."

Der Alte nickte. „Die Signatur stimmt. Bei diesem Bild befand sie sich im Dorf." Er tippte wieder auf das Paneel. Nun zeigte das Bild eine Ansammlung mehrerer Wesen, die in eine Art Spiel vertieft zu sein schienen. Das Bild wurde erweitert, sodass noch mehr Wesen und Einheiten zu sehen waren. Nicht zu übersehen waren Wesen, die keinerlei Ähnlichkeit mit den Menschen hatten. Aufmerksam studierte der Weißhaarige die Anwesenden.

„Hm", murmelte er, „ich sehe hier ein Wesen von niedrigem Astralbereich. Er scheint sich sehr für Rudlinde zu interessieren. Warte, ich rufe eine andere Datei auf." Wieder tippte er, wischte über Bildschirme, rief virtuos Signaturen, Zacken und Kurven auf und meinte dann nachdenklich: „Hier muss eine Einverständniserklärung gegeben worden sein, erkennbar an diesem Punkt."

S1 starrte auf den Bildschirm, erkannte aber keinen Punkt.

„Da hier jeder frei ist, zu tun und zu lassen, was er will, akzeptieren wir selbstverständlich, wenn jemand sein Einverständnis gibt." Kurze nachdenkliche Pause. „Du hast Recht, S1, danach wird ihre Signatur verschwommen. Hm. Ich muss hier einige Nachforschungen anstellen. Ihre Grundsignatur ist noch vernehmbar, aber die reicht nicht aus, um Rudlinde zu finden. Ich mache dir einen Vorschlag. Du gehst mit AN … äh … PA38Xf in dieses Dorf und ihr schaut euch da um. Ich gebe dir ein Signal, wenn ich mehr Informationen habe."

Dann drehte er sich zu PA38Xf und meinte lächelnd: „Du kennst dich ja hier aus. Würdest du bitte S1 ins Dorf begleiten?"

„Natürlich, gern. Komm, S1." Sie zwinkerte dem Alten zu, dann gingen sie.

„Das ist wirklich alles sehr beeindruckend", murmelte S1.

„Ja, finde ich auch. Deshalb interessiert es mich ja auch so."

Unter der Führung von PA38Xf gingen beide zu dem Dorf, das eigentlich eine Ansammlung sehr vieler Dorfgemeinschaften war. S1 vergaß seine autoritäre Haltung, denn seine Neugier war geweckt. Er entdeckte über einem Haus in der Luft schwebende Kugeln, die sich anzogen, vereinten, ihre Form anscheinend beliebig änderten, platzten und sich wieder zusammenfügten. Er steuerte auf dieses Haus zu. Energiewesen, Männer und Frauen, Exterrestrische hockten hier beieinander, lauschten den Worten eines Energiewesens, hoben ihre Hände und formten neue Kugeln. S1 war fasziniert.

PA38Xf zupfte ihn am Ärmel. „Wir müssen weiter. Hier werden wir bestimmt keine Spur von Rudlinde finden."

S1 schob ihre Hand weg und meinte nur: „Da muss ich hin. Das muss ich sehen!"

„Nein, komm jetzt!"

Zornig blickte S1 sie an. „Nein! Sagte nicht der Alte, dass hier jeder tun und lassen kann, was er will? Also tue ich das jetzt. Basta!" Damit trat er in den Kreis der Anwesenden und nahm Platz.

AN-NA war verblüfft. Das war jetzt aber schnell gegangen, dass S1 etwas begriffen hatte! Doch es passte dummerweise gerade überhaupt nicht in ihren Plan. Da auf der Erde soeben die Tagzeit begann, musste sie sich beeilen, in ihr irdisches Bett zu kommen.

Projekt Sandkorn

Die alte, greise Hand des Ersten des Großen Rats mit Namen HHH — was wie ein Hauch ausgesprochen wurde — erhob sich leicht. Sofort verstummten alle. Sahen sie da etwa ein schelmisches Lächeln in diesem von Runzeln überzogenen Gesicht, das eine Würde ohnegleichen ausstrahlte?

„Großer Rat", begann HHH, „wir sind aus unser aller Schöpfer nach seinem Willen herausgetreten. Wir sind ihm gleich und doch verschieden. Wir sind verschieden und ihm somit doch nicht gleich. So war es sein Wille in seiner großen Weisheit. ER erschuf alles, was ist, damit es sich in großer Vielfalt verbreite. ER schuf die Polarität und die Dualität. Und ER erschuf das Sandkorn. ER sah, dass alles sich in Routine ergehen würde, dass Trägheit und Stagnation entstünden, gäbe es nicht das Sandkorn. Und dieses Sandkorn wirft er ab und zu in unser Tun, in unsere Maschinerie. Es ist zu seiner großen Freude, dass wir alle uns dann genötigt sehen, aufzublicken, innezuhalten, umzudenken und neu zu beginnen. Und Dinge können eine vollkommene Wendung erfahren."

Der Alte legte eine kurze Pause ein. Dann fuhr er fort: „Das Sandkorn ist so wertvoll wie ein Weiser. Nicht mehr und nicht weniger. Und nun sind wir an einem Punkt angelangt, an dem das Sandkorn unser bisheriges Denken und Handeln blockiert. Wir müssen neu denken."

Wieder legte er eine Pause ein, während alle Ratsmitglieder auf den Alten sahen und mit großem Erstaunen lauschten.

„Wir hatten bestimmte Vorstellungen davon, wie unsere neue Galaxie besiedelt werden sollte. Doch wie man sieht, funktioniert das nicht so. Die Erdlinge wollen nicht freiwillig kommen. Da wir zu sehr davon ausgingen, dass alles so geschähe, wie wir es vorgesehen hatten, sind uns wichtige Dinge entgangen. Wir haben Versäumnisse zu beklagen, ebenso Unterlassungen. Nach unserem Plan müssten die Erdlinge, auch Menschen genannt, längst zu dem Bewusstsein gekommen sein, dass sie Sternensaat sind, dass sie genau wie wir ein Teil des Schöpfers sind. Alles Wissen ist in ihnen angelegt. Sie müssten längst darauf zurückgreifen können. Dass sie es nicht tun, zumindest der größte Teil von ihnen nicht, liegt an dem Schleier, der ihnen teils von uns, teils von anderen Intelligenzen auferlegt wurde. Wie könnten sie dann wissen, dass sie mit ihrem Körper die neue Galaxie besiedeln können? Wie könnten sie wissen, dass sie alles aus ihrem Geist heraus manifestieren können, dass ihr Geist die Materie beherrscht?"

Der alte HHH blickte in die Gesichter der Ratsmitglieder. „Wir müssen jetzt etwas ändern. Entgegen unserer Prinzipien werden wir in die Handlung gehen. Wie die Erde mir mitteilte, hat sie bereits eine Aktion gestartet, um diesen Schleier zu lüften. Nun bitte ich euch alle, mir eure Gedanken und Vorschläge mitzuteilen. Es eilt."

Die Ratsmitglieder waren sprachlos. Nicht allein wegen des Themas, sondern besonders, weil der Älteste eine derart lange Rede gehalten hatte. Das war einmalig. Sie werteten das als Zeichen für absolute Priorität.

Also berieten sie sich und erarbeiteten Vorschläge unter dem Projektnamen „Sandkorn".

Mutter Erde erhielt eine Information, die wie ein Lauffeuer auch alle anderen Planeten erreichte, ebenso in der Astralwelt Gehör fand: „Projekt Sandkorn" war gestartet. Gespannt wartete nun jeder, was der Rat entscheiden würde. Doch der Wortlaut der Mitteilung war merkwürdig. Es wurde nicht von „Entscheidung" gesprochen, sondern von „Empfehlungen". Sehr seltsam!

Mutter Erde war skeptisch. Die Mitglieder des Großen Rats waren sehr weltfremd, genauer gesagt: sehr erdfremd. Sie hatten eigentlich keine Ahnung, was hier – auf ihr und in ihr und um sie herum – alles ablief. Und jetzt mit einem Mal … Lag das etwa an dem Nachwuchsproblem? Sie kicherte. Ups! Schon wieder hatte sie eine leichte Erschütterung ausgelöst. Sie musste sich wirklich zusammenreißen!

Die Tiere hatten sich beruhigt, die Pflanzen waren noch etwas unsicher, da die kosmischen Einstrahlungen ihre Routine durcheinanderbrachten, und sie sich ohnehin wesentlich langsamer an neue Energien anpassen konnten. Und die Menschen? Nach der anfänglichen Panik hatten sie begonnen, ihren Alltag wieder in eine Form zu bringen. Papier war wieder gefragt, da die elektronischen Geräte nach wie vor nicht so funktionierten, wie sie sollten. Statt Kreditkarten wurde wieder mit Geld bezahlt oder Tauschhandel betrieben. Man wusste alle Lebensmittel wieder zu schätzen, da Lieferanten nur sporadisch die Geschäfte erreichten. Zeitungen waren gefragt. Die Menschen sprachen wieder miteinander, statt ständig auf ihre mobilen Telefone zu schauen, die ohnehin nur noch selten funktionierten. Gut so! Sehr gut sogar. Doch dieses Chaos, das die Menschen glaubten, halbwegs überstanden zu haben, war nichts im Vergleich zu dem, was noch kommen sollte.

In der Nacht herrschte eine seltsame Betriebsamkeit. Nein, die Menschen waren nicht bei irgendwelchen Veranstaltungen. Im Gegenteil. Sie gingen früh zu Bett. Eine große Müdigkeit hatte alle ergriffen. Und kaum waren sie eingeschlafen, lösten sich ihre Astralkörper und wanderten ziellos umher. Das war nachts. Morgens waren sie noch müder als beim Schlafengehen. Was die Menschen jedoch überhaupt nicht verstanden, das waren ihre luziden Träume. Sie waren an einem Ort im Astralbereich – was ihnen natürlich nicht bewusst war. Und wenn sie erwachten, wussten sie nicht, wo sie waren. Weil solche Träume sehr real sind und jedes noch so kleine Detail in Erinnerung rufen können, waren die Menschen in ständigem Zweifel, welche Welt real war: die, aus der sie kamen, oder die, die sie gerade sahen. Sie schwebten, flogen, zauberten, sahen nie gesehene Welten, und alles war einfach wunderbar – oder auch nicht. Dann der Schock, wieder im Alltag zurück zu sein! Es kam allerdings selten vor, dass ein Mensch mit einem anderen darüber sprach. Das war doch „verrückt", was sie da erlebten! Also schwiegen sie lieber – und sehnten sich an den Ort der Nacht zurück.

Dazu kamen noch die Fraktale der zerstörten Zeitlinien, der falschen Lichtsäulen und -tunnel. Die bewirkten, dass ein Mensch in einer Minute überzeugt war, in einer bestimmten Welt zu sein, in der nächsten Minute in einer anderen. Das war mehr als irritierend und beängstigend. Was hatte man wem wann gesagt? Hatte man wirklich diese Verabredung getroffen? Eine große Verunsicherung breitete sich aus. Aber wie gesagt, kaum jemand sprach mit einem anderen darüber. Sie schämten sich.

Damit noch nicht genug. Endlich sahen die Wesen, die im Anfang der Menschheit DNA beigetragen hatten, mit dem

Einverständnis, dass die erst „zu geeigneter Zeit" aktiviert werden sollte, ihre Chance gekommen. Der Zeitpunkt war jetzt, um diese schlafende DNA zu wecken, die von den Wissenschaftlern mangels anderer Erklärung als Junk-DNA bezeichnet worden war. Das bedeutete, dass Menschen erste Zeichen von Hellsichtigkeit, Hellhörigkeit, telepathischen Fähigkeiten an sich erlebten. Ein weiterer Schock! War man denn nicht verrückt, wenn man Gedanken von anderen hörte, wenn man farbige Lichter um andere Menschen sah, wenn man Geister auf der Straße laufen sah? Da war man doch verrückt! Das konnte es nicht geben. Das durfte alles nicht wahr sein! Menschenmassen strömten zu Ärzten. Da die jedoch mit den gleichen Phänomenen zu kämpfen hatten, hielten sie sicherheitshalber ihre Praxen geschlossen.

Tagsüber funktionierte nichts mehr. Es schien, als wären es kleine Anomalien, kleine Missgeschicke, Zufälle, doch in der Summe war es heftig. Autoschlüssel im Haus zusammen mit den Hausschlüsseln vergessen, die Papierrolle des Supermarkts hatte dauerhaft einen Papierstau, der Fahrstuhl fuhr nur noch den dritten Stock an, aber keine anderen Stockwerke mehr, Kaffee über die Kleidung geschüttet, Bekleidungsnähte an peinlichsten Orten aufgerissen, Zahlendreher bei der PIN-Eingabe, Chef in völlig unpassender Situation angetroffen, Termine vergessen, sonntags zur Arbeit gefahren, kein Klopapier auf öffentlicher Toilette, „Alexa" verrichtet nicht mehr ihre Arbeit, meldet aber morgens um drei Uhr einen wichtigen Termin, zur falschen Zeit am falschen Ort gewesen, die Bus-Tür öffnet sich nur noch an einigen Stationen, Lieferungen mit voll mit lauter falschen Teilen, der Kopierer meldet Fehler, die nicht bestehen, funktioniert dennoch nicht, im Fernsehen verstellen sich ständig die Programme, Selbstmörder, die von Brücken springen und wie mit Engelsflügeln aufgefangen werden. Die Liste der Unmöglichkeiten war lang. Es gab aber auch gute Dinge: Viele Ehen wurden geschieden. Neue Partnerschaften entstanden, Gleichgesinnte fanden sich, alte Freundschaften lösten sich auf. Glückstreffer jeglicher Art stellten sich ein.

Und es kam noch schlimmer.

Der Zweitälteste des Großen Rats, HMM, fühlte wie seit Ewigkeiten nicht mehr diese geradezu diebische, kindliche Freude. Im Einverständnis mit den anderen Ratsmitgliedern hatte er hochfrequente Energiepartikelgesammelt, die er durch die Astralwelt Richtung Erde geworfen hatte. Diese Partikel würden sich bei Annäherung an die Erde verdichten und wie kosmische Staubkörner ein klein wenig Unordnung bringen. Als gäbe es davon nicht schon genug! Aber der Große Rat hatte nun mal beschlossen, einen Beitrag zur Veränderung auf der Erde leisten, und das war nun geschehen. Aufgrund des hohen Alters von HMM zitterten seine Hände, sodass er unbeabsichtigt einige Energiepartikel zerklumpte, die schwer auf der Erde auftrafen. Andere Partikel verstreuten sich in der gesamten Galaxie. So war das zwar nicht gedacht gewesen, aber es war nun mal passiert. Die Folgen auf der Erde waren wieder einmal und schon wieder heftig: sintflutartige Regenfälle, Orkane, Tornados, Feuersbrünste. Kriege mussten ausgesetzt werden, das Wetters war zu schlecht. Soldaten begingen in Massen Fahnenflucht, um zu Hause bei ihren Familien zu sein, Regierungen hatten nichts mehr zu sagen. Die Menschen besannen sich auf Nachbarschaftshilfe, ethnische Zugehörigkeiten spielten keine Rolle mehr. Jeder half jedem.

Auf der Erde schossen Heilsbringer wie Pilze aus dem Boden. Sie versprachen Erleuchtung und Errettung in den Tagen der Endzeit. Und da es schon einmal in der Geschichte funktioniert hatte, handelten sie nach dem Motto: „Wenn der Thaler im Beutel klingt, die Seele aus dem Feuer springt." Viele mutlose und ängstliche Menschen schlossen sich ihnen an, denn sie wollten einst an ihrem letzten Tag rein vor ihrem Schöpfer stehen. Dieser Weg war für sie einfacher als zu begreifen, dass ihre Seele unvergänglich rein war und der Schöpfer jeden Menschen in einer Artenvielfalt geschaffen hatte. ER wollte ja, dass ein jeder seine eigene Erd-Erfahrung macht. Dazu hatte der Geist des Menschen ja seinen Entscheidungs-Spielraum.

Einige Menschen waren sich dessen bewusst. Angstfrei lebten sie in den Tag und nahmen die Dinge gelassen, so, wie sie kamen.

Die besonders schweren Energieklumpen von HMM schlugen vor allem in der Dunkelwelt hart ein. Auch hier wurde alles auf den Kopf gestellt: Die Angstmacher wurden selbst ängstlich, ihre Geheimnisse gelangten an die Öffentlichkeit, Machenschaften konnten ihren Verursachern zugeordnet werden, die üblichen Fluchtorte waren nicht mehr erreichbar, wegen des andauernden Elektronikausfalls kamen sie schlecht an ihr Kapital, das Chaos an der Börse erreichte ein Maximum, Aktienmärkte kollabierten, viele Drahtzieher zur Ausbeutung von Menschen wurden an den Pranger gestellt. Dies vorerst nur lokal, da die drahtlose Kommunikation immer noch nicht wie früher funktionierte, und die Nachrichten sich eher langsam verbreiteten.

Völlig unerwartet, trafen diese Energieklumpen die dunkelste und tiefste Ebene. Schwarzmagier zweifelten plötzlich an ihrem Tun und zogen einen Wechsel in höhere Energie-Dichten in Erwägung. Ihre Bosse waren nicht mehr erreichbar. Die Energien, die ihnen bisher zu Diensten gewesen waren, verweigerten die Durchführung ihrer Anweisungen, Seelenfänger und Energieräuber fielen in die eigenen Fallen und ihre Tricks blieben wirkungslos.

Mutter Erde grübelte. Das war nicht ihr Werk. Wie kam das dann? Sollte das „Projekt Sandkorn" schon angelaufen sein? Ein Kichern konnte sie sich trotz allem nicht verkneifen, was allerdings nicht gerade zur Stabilität der derzeitigen Lage beitrug. Sie würde es schon noch herausfinden, aber erst mal hatte sie wichtigere Arbeiten zu erledigen. Sie war in Verzug auf ihrem Weg zu 5D und musste sich beeilen.

Von den Problemen, die durch die Energiepartikel auf den benachbarten Planeten entstanden, erfuhr natürlich niemand auf der Erde. Der Satellitenfunk war ja weiterhin stark beeinträchtigt. Auch wusste niemand, welche verrückten Erlebnisse die Astronauten in dieser Zeit hatten. Das war auch besser so.

Für einige Menschen lief das Leben scheinbar unbeeinflusst von allem in gewohnter Weise weiter. Robin arbeitete in seinem Krankenbett. Er hatte ebenfalls absolut wichtige Projekte, die seine gesamte Aufmerksamkeit in Anspruch nahmen. Die waren Mia, Mia, Mia, seine Gesundheit, Mia, seine „Wiederauferstehung" und Mia. Im Augenblick arbeitete er an seiner Hand. Der dritte Finger zeigte bereits eine

Reaktion. Zwei Finger, die er mehr oder weniger bewusst bewegen konnte. Er musste es schaffen, alle Finger bewegen zu können, sonst könnte er nicht mit seinem Laptop arbeiten. Und das war Voraussetzung für das elektronische Board, das er bauen wollte. Und sein Arm musste sich dazu ebenfalls bewegen lassen.

Robin hatte bereits eine gewisse Vorstellung davon, wie das Board für Mia beschaffen sein musste. Ein Board mit einer Elektronik ähnlich wie bei einem selbstfahrenden Auto, wenn auch mit weit weniger Funktionen. Es hatte eine Haltestange, an der ein Notsitz ausgeklappt werden konnte. Das Board besaß vier Räder wegen der Standfestigkeit, und um Bordsteine, Treppen oder andere Unebenheiten überwinden zu können. An der Haltestange und an den Rädern waren jede Menge Sensoren angebracht, die über ein Sprachmodul Angaben über die Umgebung lieferten. Diese Sensoren würden an ein Navigationsgerät gekoppelt sein.

Robins Gedanken liefen vierundzwanzig Stunden am Tag auf Hochtouren. Wenn er schlief und nicht gerade an Mia dachte, löste sich seine Seele vom Körper, und er ging auf Erkundungstour. Auf seinen Beinen. Er fand nicht den Weg zu seiner Schwester oder seiner Mutter, doch er fand ein Dorf. War das überhaupt ein Dorf? Er sah ein Haus, aus dem ständig Blasen und Kugeln hervortraten, die sich verbanden, wieder lösten, platzten und von selbst wieder aufbauten. Vorsichtig näherte er sich diesem Haus und schaute neugierig hinein. Er war fasziniert von dem, was er sah. Also trat er ein, betrachtete das Tun der Anwesenden und hörte zu. Seine Anwesenheit schien niemanden zu stören. Und dann war da auch ein Mann, mit dem unterhielt er sich lang und intensiv, das war ein richtig tolles Gespräch.

Mia kam regelmäßig in seinem Krankenzimmer zu Besuch und blieb meist mehrere Stunden. Sie hatten sich inzwischen so viel von sich erzählt, dass beide das Gefühl hatten, sich schon sehr, sehr lang zu kennen. Heute öffnete sich die Tür zum Krankenzimmer heftiger als sonst und Mia erschien wie ein kräftiger Sonnenstrahl, der sich durch eine dichte Wolkendecke drängt: „Rob, Robi, du glaubst nicht, was ich heute Nacht erlebt habe!"

Sie bewegte sich eilends zum Bett. Mit ihren Schmetterlingsfingern tastete sie sich zu Robins Gesicht, küsste ihn leicht auf die Stirn, auf die Augen und etwas fester auf den Mund.

„Mia", flüsterte Robin beglückt, „ich würde dich so gern umarmen, dich an mir fühlen, dich an mich drücken."

Sie lachte leise, zog ihre Schuhe aus und meinte: „Dann machen wir das doch."

Sie legte sich zu ihm auf das Krankenbett, schmiegte ihren Kopf in seine Armbeuge und legte eine Hand über seinen Unterleib.

„Wie gern würde ich dich fühlen, Mia."

„Das tust du doch."

„Wie kommst du darauf?"

„Dein Robinson ist aufgewacht."

„W-a-s?"

Mia zog Robins Arm auf der Bettdecke zu sich, sodass seine zwei Finger die Wölbung unter der Bettdecke spüren konnten. Dann kicherte sie lachend: „Um ihn müssen wir uns also keine Sorgen machen."

Zwar kicherte nun auch Robin, doch rollten ihm auch Tränen über die Wangen.

„Also, jetzt hör zu. Ich erzähl dir, was ich in der Nacht erlebt habe. Ich hab geschlafen. Also, richtig geschlafen. Mit einem Mal bist du an meinem Bett gestanden, hast mich geweckt, also im Schlaf, im Traum geweckt, ich bin nicht wirklich aufgewacht, und hast etwas zu mir gesagt. Das habe ich aber nicht verstanden. Dann hast du dich umgedreht und bist weggegangen. Ich rief dir nach, du solltest auf mich warten, ich würde mitgehen, aber du hast mich nicht gehört. So schnell ich konnte – du verstehst, ich habe dabei geschlafen, es war also im Traum – bin ich dir nachgelaufen. Plötzlich sah ich etwas, verlor dich dabei kurz aus den Augen, und dann warst du weg. Aber was ich gesehen hatte, war eine Frau. Sie war eher ein Geist. Sie war so schön, hell und weiß, und ihr Lächeln war so besonders. Ich musste einfach zu ihr hingehen. Und dann unterhielten wir uns von Kopf zu Kopf, ohne Sprache. Sie sagte, ich solle mitkommen. Das machte ich auch. Wir kamen in ein, äh, ein Haus, das war so anders als alle Häuser, die ich bis dahin gesehen habe, es war wie aus Kristall oder Glas oder durchsichtigem Metall, das schimmerte und in einem wunderbaren Licht erstrahlte. Sie sagte, dies wäre das Haus der Heilung und der Trauma-Bewältigung. Sie führte mich zu einer anderen Frau, die gerade Unterricht gab. Es schien sie zu freuen, dass ich da war, und sie fing an, mir ganz speziellen Unterricht zu geben."

Mia richtete sich auf und stieß die Worte heraus: „Und weißt du was, ich kann mich an alles erinnern! Und das mache ich jetzt bei dir."

Sie sprang von seinem Bett, rieb ihre Hände aneinander und legte dann eine Hand unter Robins Kopf, wobei sie die Finger auf besondere Weise spreizte. Die andere Hand blieb über seinem Körper in Bewegung, dann drückte sie einen der Finger auf einen bestimmten Punkt.

Robin fühlte Wärme. Nicht überall, doch das machte nichts, solange er überhaupt etwas fühlte. Dann durchströmte ein Kribbeln seinen Arm. Er s-p-ü-r-t-e etwas.

Als Mia nach einer ganzen Weile ihr Werk beendet hatte, fragte sie aufgeregt: „Und? Hast du was gemerkt?"

„Ja."

„Ehrlich? Was hast du gemerkt?"

Robin beschrieb es ausführlich. Mit kindlicher Freude klatschte sie in die Hände.

„Glaubst du jetzt, dass das wahr gewesen ist, was ich geträumt habe?"

„Das ist komisch", antwortete Robin bedächtig.

„Was soll daran komisch sein? Du hast doch selbst gemerkt, dass da etwas passiert."

„Nein, nein", korrigierte Robin sofort, „das meinte ich nicht. Aber ich hatte in der Nacht auch einen Traum." Dann erzählte er ihn. Zum Schluss sagte er: „Weißt du, Mia, dieser Mann, den ich da getroffen hatte, kam mir irgendwie bekannt vor. Ich erinnere mich aber nicht, woher ich ihn kenne. Leider weiß ich auch nicht mehr, worüber ich mich mit ihm unterhalten habe. Ich weiß nur noch, es war ein tolles Gespräch mit einem tollen Mann."

Der Ausflug

F4 traute ihren Augen kaum, als sie Mia in Begleitung eines Lichtwesens der Astralwelt in den Bereich der Heilung gehen sah. Sie selbst war auf dem Weg dorthin, weil der Engel der Heimkehr eines ihrer Sternchen auf der Erde zeitgerecht und pünktlich abgeholt hatte. Für F4 war es selbstverständlich, ihr Sternchen willkommen zu heißen und ihm in der Phase der Rekonvaleszenz zur Seite zu stehen. Aber dass Mia auch hier war – nicht zu glauben!

S1 studierte währenddessen weiter bei den Forscherkollegen im Dorf. Genau, das hier war seine Welt! Und der junge Mann, der eben bei ihm war – ja, genauso musste das sein, dass er sein Wissen weitergeben konnte. Ein wirklich sympathischer Kerl! Er kam ihm bekannt vor. Irgendwo hatte er ihn schon mal getroffen.

F4 starrte ungläubig ihr soeben angekommenes Sternchen Lotta an. Lotta war außer sich. Sie schrie, heulte, tobte: „Wieso? Wie kommt ihr dazu, mich so einfach von der Erde zu holen. Habt ihr eigentlich eine Ahnung, was ihr da angestellt habt?!"

„Ja ... aber ...", versuchte F4 eine Erklärung.

„Das interessiert mich nicht. Bringt mich sofort wieder zurück. Ich bin noch nicht fertig mit dem Leben, ich hab noch was zu tun. Ich kann doch meinen Mann nicht einfach zurücklassen. Was glaubt ihr eigentlich, wer ihr seid? Wer gibt euch das Recht, einfach jemanden aus dem Leben zu reißen? Ich will zurück. Ich will sofort nach Hause. Sofort!"

F4 besaß noch recht wenig Erfahrung mit heimkehrenden Sternchen. Es war doch alles ordnungsgemäß verlaufen! F4 hatte dafür gesorgt, dass der Lebensplan für Lotta angenehm war, so wie abgesprochen. Auch war der Zeitpunkt ihrer Heimkehr mit ihr zusammen festgelegt worden. Das Datum war dem Engel der Heimkehr übergeben worden. Und der Engel der Heimkehr machte nie einen Fehler. Jetzt durfte also Lotta wieder nach Hause – und dann das!

„Was guckst du so blöd", schrie Lotta. „Du stehst da wie ein einsames Halleluja, statt mich wieder nach Hause zu bringen!"

„Du bist doch jetzt zu Hause", wagte F4 zu sagen.

„Ne, meine Liebe, ne. So nicht! Mein Zuhause ist da unten, nicht hier."

„Aber hier ist es doch so schön!"

„Schön? Schön nennst du das hier? Dann guck dich doch mal an. Hast du überhaupt eine Ahnung, wie das ist, wenn ein Mann einen liebt, einen umarmt? Hast du eine Ahnung, wie das ist, sein Kind im Arm zu halten, im Sommer am Meer zu sitzen oder am Abend in die Sterne zu gucken? Hast du eigentlich eine Ahnung, wie schön es auf der Erde ist, hä?"

„N-nein", F4 schüttelte den Kopf. „Ich war noch nie auf der Erde."

„Dann lass mich gefälligst in Ruhe! Ich will nach Hause."

Lotta randalierte derart laut, dass sich Kti-Ram-Thu genötigt sah, ihrem Strahlenkind F4 zu Hilfe zu eilen. Kti-Ram-Thu hüllte Lotta in ihr Licht ein, beruhigte sie und führte sie in den Bereich der Heilung.

F4 war so bestürzt, dass ihr dieser Vorgang völlig entging. Sicher, sie hatte schon viel von dem Leben auf der Erde gehört. Vieles davon war sehr traurig. Sie war davon ausgegangen, dass es das Zentrum der Heilung für die Erdlinge nur deshalb gab, um deren traumatische Erlebnisse auf der Erde zu heilen. Aber F4 hatte nicht damit gerechnet gehabt, dass auch die Heimkehr für Erdlinge traumatisch sein könnte. Ihr Sternchen hatte recht damit, dass sie keine Ahnung von dem Erdenleben hatte, also in dem Sinn, wie sich das so anfühlt. F4 seufzte. Wäre doch nur Anna-PA38Xf hier! Sie könnte ihr diese Sache bestimmt erklären.

„Du hast mich gerufen?", fragte Anna.

F4 zuckte kurz zusammen. „Äh, eigentlich nicht. Aber ich habe mir gewünscht, dass du jetzt hier wärst."

„Da bin ich. Was gibt's denn?"

F4 berichtete von Lotta und davon, dass sie diese Sache schlicht nicht verstand.

Anna umarmte sie kurz und meinte dann: „Ich bin noch zu jung, um das erlebt zu haben, was Lotta erlebt hat. Aber ich glaube, ich weiß, was sie meint. Weißt du, wir auf der Erde haben das Privileg, sehr viele Gefühle zu haben. Manche Menschen haben zu viel, andere zu wenig."

Und dann kam Anna ins Schwärmen. „Wenn meine Mama mich in den Arm nimmt, mein Papa mir sagt, dass er mich liebhat, wenn mein Hund mit mir kuschelt, wenn wir Urlaub in den Bergen oder am Meer machen, wenn der Schnee fällt und wir Schlitten fahren können, oder wenn morgens die Sonne in der Nase kitzelt, das alles ist einfach wunderschön!"

„Warum kenne ich das nicht?", wollte F4 wissen.

Anna neigte leicht den Kopf. „Hm. So genau kann ich dir das nicht sagen. Soweit ich weiß, ist die Existenz ab D6 harmonisch und ausgeglichen. Vielleicht seid ihr auch einfach zu schwach, um die harten Seiten des Erdenlebens zu ertragen. Da muss ich selbst mal nachfragen."

F4 gab sich damit nicht zufrieden. „Ich will das auch spüren. Ich will das auch erleben! Du bist doch auch auf die Erde gegangen. Kann ich nicht auch auf die Erde?"

„Doch", antwortete Anna, „das könnt ihr schon. Im Planungs-Zentrum kann man einen Ausflug auf die Erde buchen. Meistens nur für drei Tage. Du brauchst aber einen Bürgen aus der Astralwelt. Der muss dafür sorgen, dass du wieder zurückfindest. Es ist schon ein paar Mal vorgekommen, dass ein Reisender verloren gegangen ist. Huch, da fällt mir ein, ich muss nach S1 sehen. Wir müssen doch Rudlinde finden!"

Schon eilte sie davon und ließ F4 mit ihren Überlegungen zurück. Nachdenklich schlug sie den Weg zum Planungs-Zentrum ein. Sie bemerkte nichts von der Unruhe um sie herum, wahrscheinlich, weil ihr der normale Alltag in diesem Bereich völlig unbekannt war.

Ein nackter, alter Mann rannte an ihr vorbei: „Hilfe, Hilfe, meine Alte kommt. Wenn die mich sieht ..." Dann war er weg. Eine Greisin stieß sie an: „Hast du mein Einhorn gesehen?" Eine junge Frau wollte wissen: „Wo geht es hier zum Künstler-Zentrum?" Ein bärtiger Mann fauchte sie an: „Kannst du nicht aufpassen! Du bist gerade durch mein Schloss gelaufen!" Ein Kind stritt sich mit einem anderen: „Ich will aber gelbes Wasser und kein pinkfarbenes!" Ein Wesen undefinierbaren Alters flog ständig Kreise in alle Richtungen und kreischte: „Kreise, Kreise, ich kreise."

Endlich kam sie im Planungs-Zentrum an. Zig Monitore zeigten Angebote zu Erdreisen. Die gängigsten waren: warme Länder, kalte Länder, Berge und Seen, Meere, Städtereisen. F4 war verwirrt. Eine Bekannte von D6 aus der Gruppe der T-Dichte sprach sie von der Seite an: „Willst du auch eine Erdreise machen?"

„Weiß nicht."

„Warum bist du dann hier?"

„Weiß nicht."

„Was ist los?"

F4 erzählte, was sie soeben über die Erde und das Erdenleben gehört hatte.

„Und jetzt willst du wissen, ob das stimmt?"

F4 nickte.

„Hm. Weißt du, wenn wir so eine Reise machen, ist das nur in feinstofflicher Art möglich. Du wirst also nicht wie ein Mensch erfahren können, wie sich das Erdenleben anfühlt. Andererseits", die Bekannte kräuselte die Stirn und begann in beinahe flüsterndem Ton zu erzählen, „ich hab da ein paar ganz verrückte Sachen gehört. Stell dir vor, diese Reisen werden ja in Gruppen durchgeführt. Also keiner darf sich von der Gruppe entfernen, weil das zu gefährlich ist."

„Warum?"

„Es gibt auf der Erde Attraktoren."

„Attraktoren? Was ist das?"

„So genau weiß ich das auch nicht. Das kann, glaube ich, auch ganz verschieden sein. Na jedenfalls, was ich erzählen wollte, da war eine männliche Energie von hier. Die war mit auf Reisen. Und der traf dann auf einen weiblichen Menschen. Und als unser Mann dann die nackte Haut der Frau berührt hatte, ab da war er nicht mehr ansprechbar. Stell dir vor, die mussten ihn sogar zurücklassen. Jetzt wurde eine Energieeinheit bestellt, die ihn immer im Auge behalten muss, um ihn doch irgendwann mal zurückzubringen. Und dann war da noch die Sache mit dem body-entering."

„Dem waaas?"

„Du weißt aber auch gar nichts! Wenn man feinstofflich ist wie wir, dann können wir in einen menschlichen Körper hinein. Am besten nachts, wenn der Körper schläft und sein Astralkörper möglichst gerade draußen ist. Das kann zu Komplikationen führen. Aber egal. Eine von uns hat das bei einem Körper gemacht. Die kriegen wir auch nicht zurück. Die richtige Seele des Körpers ist – glaube ich – im Trauma-Zentrum." Kurze Pause, dann fuhr sie fort: „Also, ich würde mir das alles gern mal hautnah", sie kicherte, „ansehen".

„Ich auch", murmelte F4.

„Dann komm! Die Warteliste ist lang, und wir müssen auch noch einen Bürgen suchen. Was wollen wir denn machen? Eine Städtereise fände ich spannend."

F4 nickte nur.

Währenddessen war PA38Xf zum Forschungs-Zentrum geeilt, um S1 abzuholen. Doch der war nicht mehr da. Sie fragte bei den Anwesenden, ob sie wüssten, wo er wäre. Kopfschütteln. Doch einer meinte: „Er sucht gerade jemanden. Er hatte Besuch, wahrscheinlich von seinem neuen Schüler. Der wollte gleich wieder da sein, ist aber noch nicht gekommen. Den sucht er jetzt wohl."

Anna schüttelte den Kopf. S1 und ein Schüler? Einen, den er auch noch suchte? Was war mit S1 passiert? Warum suchte er nicht nach Rudlinde? Sie würde sich vorerst allein weiter auf die Suche nach ihr machen müssen. Darum folgte sie einer vagen Energiespur in den großen Paradies-Park. Aufmerksam beobachtete sie jedes Geschehen, war jedoch schnell verwirrt. Die sonst harmonische Energie des Parks war jetzt eher einer Kirmesatmosphäre gewichen. Die Energiepartikel des Großen Rats hatten auch hier Wirkung gezeigt. Eine Schar Frauen übte sich im Can-Can, sie warfen die Beine dabei so hoch, dass sie sich nach hinten überschlugen. Andere gruben Löcher wie Maulwürfe, manche bauten aus der Erde kleine Männchen, die sie bunt bemalten und auf Blättern reiten ließen, wieder andere versuchten sich im Fliegen, die nächsten bastelten an unsichtbaren Wänden, an denen sich jeder stieß. Ein heilloses Durcheinander! Und da sollte Anna Spuren von Rudlinde finden? Wo war die angenehme, entspannende Stille von früher geblieben?

Anna bewegte sich, so gut es ging, am Rand eines jeden Geschehens. Dann entdeckte sie wegen dessen energetischen Gestanks eine Figur, die hochkonzentriert auf die Anwesenden starrte. Eine junge, hübsche Frau erweckte wohl sein ganzes Interesse. Der „Stinker" veränderte etwas an seiner Gestalt und näherte sich vorsichtig der Frau. Soweit Anna erkennen konnte, versuchte der Stinker mit seinem ganzen Charme, der Frau etwas anzubieten. Sie schaute ihn zwar interessiert an, blieb jedoch skeptisch. Er steigerte sich in seinem Bemühen. Schließlich lächelte die Frau und folgte ihm zögerlich.

Als Anna die Visage des Stinkers sah, als der sich von der Frau abgewandt hatte, erschauderte sie. So war das also.

Sogar bis hierher kamen die Seelenfänger! Wo brachte er die Frau jetzt wohl hin? Anna schlich ihnen nach. So ein Schuft! Der Kerl führte sie zu einem weißen Pferd mit besonders schönem Zaumzeug, half ihr galant hinauf und führte dann das Pferd ein Stück am Zügel. Anna blieb ihnen auf den Fersen. Plötzlich schwang sich der Stinker ebenfalls auf das Pferd, das in diesem Moment ein drachenähnliches Monster wurde – die beiden waren drauf und dran, zu verschwinden. Aber nicht mit AN-NA! AN-NA löste sich vom Erscheinungsbild der Anna und folgte ihnen. Es ging tiefer und tiefer in der Dichte, sodass AN-NA mit ihrer hohen, feinstofflichen Frequenz Mühe hatte, sich anzupassen. Sofort wechselte sie wieder in die Dichte der Anna-PA38Xf. Das war besser. Der Drache flog nun in einen Tunnel. Doch hier hörte Annas Bereitschaft auf, weiter zu gehen. Was nun? Das war möglicherweise der Weg, auf dem Rudlinde verschwunden war. Aber in diese Gefilde würde sie nicht gehen. Sie würde sich Rat holen müssen.

Der menschliche Wille

„Rob, wie lange brauchst du eigentlich noch, bis du wieder schreiben kannst?", fragte Ben.

„Weiß nicht. Aber guck, ich kann schon dreieinhalb Finger richtig bewegen! Irre, was?" Robins Aussprache hatte sich normalisiert, was er dankbar zur Kenntnis genommen hatte.

„Warum willst du das eigentlich wissen?"

„Ich kümmere mich doch um deinen ganzen Papierkram. Jetzt bin ich im Gespräch mit der Versicherung des LKW-Fahrers, die dir Schadensgeld zahlen müssen. Das ist ein ganz hübsches Sümmchen, sag ich dir. Keine Ahnung, ob du so viel verdient hast. Na ja, für diese Kohle würde ich mich vielleicht auch unter einen LKW schmeißen. Aber es wird reichen, um all deine Schulden zu bezahlen, und du hättest trotzdem noch was für dein neues Leben."

„Red keinen Scheiß", grummelte Robin.

„Du musst mir nur eine Vollmacht geben. Ich sagte doch, du hättest mich heiraten sollen!" Ben grinste schief. „Und dazu brauche ich deine Unterschrift."

„Scheiße", sagte Robin. Er dachte nach. „Ben, bring doch mal einen Stift. Ich will was ausprobieren."

Ben holte einen Stift aus seiner Aktentasche und zog ein Stück Papier heraus. „Das ist die Vollmacht. Die müsstest du unterschreiben."

Robin lachte: „Das sieht ja aus wie mit einer Schreibmaschine getippt!"

„Ist es auch", sagte Ben ernst.

Dann lachte er laut: „Du glaubst ja gar nicht, was da draußen jetzt los ist! So was hast du noch nicht gesehen. Du weißt ja von Mia, dass kaum noch etwas normal wie früher funktioniert. Ich staune immer wieder, wie erfindungsreich der Mensch werden kann, wenn die Not groß genug ist. Die ganze Stadt hat sich in einen einzigen Basar verwandelt. Tauschbörsen ohne Ende. Arbeitskraft gegen Ware, Ware gegen Lebensmittel. Es fahren ja kaum noch Autos. Also funktioniert das meiste mit dem Fahrrad, dem Moped oder eben zu Fuß. Tretroller und Skateboards sind wieder ganz groß in Mode. Die Leute bauen auf ihren Fensterbrettern Gewächshäuser, auch auf den Balkonen, Terrassen, Gärten, und sogar die Grünanlagen werden zu Kartoffel- und Gemüsefeldern umfunktioniert. Irre, einfach irre. Und weißt du was! Da ist jetzt so eine Entschleunigung im Leben. Und das gefällt mir. Alles wird langsamer, überschaubarer. Die Leute reden miteinander, tauschen sich aus, sind sich behilflich. Schließlich weiß ja keiner, wann er die Hilfe von anderen braucht. Also sind sie freundlich. Aber kommen wir zurück zu deiner Unterschrift. Ich hab mich erinnert, dass von meiner Großmutter noch eine Schreibmaschine auf dem Dachboden sein müsste. Et voilà, sie funktioniert! Manchmal denke ich, ich seh' nicht recht, was die Leute jetzt alles aus ihren Kellern und vom Dachboden holen. Stell dir vor, ich habe sogar meine alte Gitarre wieder. Ich komponiere jetzt, und Liss singt. Sie hat eine tolle Stimme. Also – Papier und Stift."

Robin bemühte sich, den Stift richtig zu fassen zu bekommen. Doch er entglitt ihm immer wieder. „Ben, ich brauche ein Gummiband. Kannst du ein Gummiband besorgen?"

Ben besorgte ein Gummiband.

„Wickle jetzt das Gummiband um meine drei Finger und schiebe dann den Stift dazwischen."

Sie mühten sich ab. Als schließlich der Stift fest zwischen den Fingern klemmte, nahm Ben ein Tablett, stellte es vor Robin auf, sodass dieser gut mit dem Stift auf das Papier malen konnte.

„Mach das noch mal. Das kann ja kein Mensch lesen", meinte Ben.

Robin gab sich jede erdenkliche Mühe, Buchstabe für Buchstabe auf das Papier zu bringen. Das Schriftbild entsprach der Schreibweise eines Fünfjährigen bei seinen ersten Schreibversuchen.

„In Anbetracht der Umstände müsste das eigentlich reichen. Ich hole einen Arzt und eine Krankenschwester. Die müssen bezeugen, dass du das unterschrieben und keinen Dachschaden hast."

Ben eilte hinaus und kam mit Arzt und Krankenschwester zurück.

„So, so", meinte der Arzt, „wir lernen schon schreiben!"

Robin krakelte seine Unterschrift auf das Papier, Buchstabe für Buchstabe, bis deutlich zu lesen war: R-O-B-I-N W-I-N-T-E-R.

Danach unterzeichneten die Krankenhausangestellten die Richtigkeit der Unterschrift.

Robin spürte genau, wie angestrengt Ben sich bemühte, möglichst lässig und locker mit ihm zu sprechen. Also machte Robin es ihm leichter, plauderte noch ein wenig über alte Zeiten und meinte dann, dass ihn das jetzt angestrengt habe und er müde sei. Ben verabschiedete sich mit ein paar flapsigen Bemerkungen und ging.

Kaum war er aus dem Zimmer, begann Robin mit seinen Übungen. Wegen Bens Bemerkung über die Gitarre erinnerte sich Robin, dass er als Kind ein paar Jahre Klavierunterricht gehabt hatte. Warum nicht Fingerübungen auf einem virtuellen Klavier machen? Und los ging's.

Da im Krankenhaus ebenfalls der ganze Betrieb umgestellt worden war, mussten die Ärzte größtenteils auf ihre Apparate verzichten. Operationen wurden nur noch bei Lebensgefahr durchgeführt. Ärzte und Personal waren auf handwerkliche Arbeit angewiesen sowie auf ihre Erfahrungswerte. Sie sprachen und beschäftigten sich mehr mit den Patienten, um sich ein besseres Bild über Krankheitsursachen und Heilungsmöglichkeiten machen zu können. Man könnte fast sagen, sie lernten jetzt mehr als während ihrer Ausbildung.

Weil es dadurch auch weniger Neuzugänge gab, konnte sich Robins Physiotherapeutin mehr mit ihm beschäftigen als vorgesehen. Sie hatte richtig Spaß daran zu sehen, wie kraftvoll Robin mitarbeitete, und dass bald auch erste Erfolge erkennbar wurden. Er spornte sie an, mehr mit ihm zu machen und an die Grenzen zu gehen. Aber nur Mia gegenüber erwähnte er, dass er am Vortag ein Jucken in den Zehen verspürt hatte.

Das Sandkorn und die Folgen

Der Fürst der Finsternis, die Allmacht der Dunkelheit, hockte gebeugt in seinem persönlichsten Bereich und war gefangen in einer tiefen Depression. Für niemanden war er zu sprechen. Er grübelte. Vielleicht war es damals ja doch ein Fehler gewesen, sich dem Schöpfer entgegenzustellen und D12 zu verlassen. Ba-Hua-Mnu schien recht zu behalten: Irgendwann würde er es bereuen – das hatte der ihm damals schon prophezeit. War dieses Irgendwann jetzt? Der Fürst konnte nicht tiefer sinken als bis zu dem Punkt, an dem er sich im Moment befand. Seine Mitarbeiter sprachen ihn mit Big Boss an. Was für ein Witz, wenn er seine Situation überdachte! Hinter seinem Rücken, das hatte er zufällig mitbekommen, nannten sie ihn Bibi, mit den Initialen B.B, abgeleitet von Big Boss oder wahlweise Beelzebub. Wie respektlos und entwürdigend! Selbst dagegen konnte er nichts machen. Seine Mitarbeiter würden ihn weiterhin so nennen, ob er das nun wollte oder nicht.

Ihm war auch zu Ohren gekommen, dass der Große Rat in Erwägung zog, ihn zu sich zu zitieren. Das konnten die vergessen! Er war schon zu lange zu tief in der Materie gefangen, als dass er es frequenzmäßig schaffen könnte, höher als D6 zu kommen. Selbst dann noch müsste er sich energetisch an jemanden dranhängen. Bibi war die hohen Schwingungen einfach nicht mehr gewohnt und litt immer mehr darunter. Allein die derzeitigen Schwankungen im Energiefeld der Erde machten ihm mit Übelkeit und Brechreizsehr zu schaffen. Es war im wahrsten Sinn des Wortes zum Kotzen!

Was ihm aber am meisten zu schaffen machte, das waren seine Untermieter, die „Grauen". Sie bewohnten die Stockwerke unter ihm. Dieses Pack! Falsch, verlogen, hinterlistig und skrupellos. Während er sich noch an den alten Ehrenkodex hielt, dem Menschen seinen freien Willen zu lassen, interessierte die das überhaupt nicht. In Reminiszenz an seine hohe Herkunft verhandelte er mit jedem Menschen und jeder Seele. Er zwang niemanden zu etwas. Bibi war Händler. Er kaufte Seelen und verkaufte dafür Macht und Wohlstand. Manche Seelen verkaufte er auch weiter. Gut, manchmal benutzte er schon ein … äh … gewisses Maß an Überzeugungskraft, aber er log nie, versprach nur manches, was er dann leider nicht einhalten können würde. Bibi hatte viele Seelen gekauft, die nun seine Marionetten und Diener waren, was denen aber nicht so wirklich bewusst war. Er könnte stolz darauf sein, dass die Elite der Welt ihm gehörte. Und jetzt kamen diese grauen Invasoren, die sich den Zugang zur Erde erschlichen hatten, und behaupteten, dass diese Elite ihnen gehöre. Sie erhoben regelrechte Besitzansprüche. Das ging definitiv zu weit! Die Grauen ließen ihn ja noch nicht mal in ihre Räume. Sie missachteten alle Regeln und verweigerten ihm jeden Respekt. Was sollte er nur tun?

Und was die anderen Dinge anbetraf, das war auch alles Schnee von gestern. Ach, was waren das noch für Zeiten, als holde jüngferliche Maiden der Sittsamkeit entrissen werden wollten! Und heute? Heute standen die jungen Bitches, Schlampen und künftigen Huren vor seiner Tür und wollten so schnell wie möglich entjungfert werden. Sie wurden richtiggehend lästig. Wo blieb da der Spaß? Wollte man heutzutage noch eine reine Jungfrau haben, müsste man schon pädophil werden. Und das ging zu weit. Kinder waren ständig von drei Wächtern umgeben, und ihre Energie war viel zu rein und zu hoch. Mit denen konnte man außerdem keinen Seelen-Handel betreiben. Und das war unabänderlich die Voraussetzung für den Seelenkauf.

Aber die da unten! Die kannten keine Hemmungen! Holten sich Seelen mit Körpern und experimentierten damit rum. Bibi meinte, bemerkt zu haben, dass sie ebenfalls Probleme mit den sich jetzt ständig ändernden Erdfrequenzen hatten und nach einer Anpassungslösung suchten. Ach, verdammt noch mal!

Bibi fühlte sich einsam. Er hatte aber keinen Bock, sich mit diesen Arschkriechern und Marionetten zu unterhalten. Sie langweilten ihn in ihrer Arroganz, sich tatsächlich für mächtig zu halten. Dabei war das nichts als Schall und Rauch. Die Frauen waren manchmal schlimmer als die Männer. Deshalb hatte er keine an seiner Seite. Und es gab auch keine Frau in seinem Personal. Nur männliche Energien. Wer kam eigentlich auf die Idee, dass eine Frau der Teufel sein könnte? Der Schöpfer, diese Allmutter, die alles erschuf, wurde als Mann angesehen und ausgerechnet er, Bibi, als Frau. Haha, die Frau ist der Teufel! Die Menschen waren wirklich bescheuert! Seine Stimmung war endgültig an einem Tiefpunkt angelangt.

Verdammt noch mal, was war das da draußen für ein Lärm? Er hatte doch ausdrücklich angewiesen, dass er seine Ruhe haben wolle!

Er rannte aus seinem Bereich und erstarrte. Da wirbelte ein Wesen, ein weibliches Wesen, in seinen Räumen herum. Der Kessel über dem Feuer, in dem die sündigen Seelen kochen wollten, war umgeworfen, und dieses Weib zertrampelte gerade das Fegefeuer. Gut, das war nicht weiter schlimm, denn diese Teile waren ohnehin reine Requisiten.

Die Dinger wurden schlicht von einigen Seelen beim Eintritt in die Hölle erwartet. Aber was machte dieses Weib jetzt?

Sie hatte wohl das Erscheinen des Fürsten Bibi bemerkt, verharrte inmitten ihrer Bewegung. Und da traf es ihn wie ein Blitz. Er flüsterte: „Lilith. Das ist Lilith!"

Erst, als seine vermeintliche Lilith, die mystische, geheimnisvolle Schwarze Mondin ihn anschnauzte: „Was willst du denn hier?", erwachte er aus seiner Starre. Was für ein Weib! Ihre langen, roten Haare, die lagunengrünen Augen, das feine Gesicht mit den hohen Wangenknochen, der wohlgeformte Mund, die sehr weibliche Figur, die trotz des langen Faltenrocks gut zu sehen war, verschlugen ihm schlicht die Sprache.

„Ich…", weiter kam Bibi nicht.

Das Weib wirbelte herum: „Was ist das hier eigentlich für ein Saustall? Hilf mal mit! Wir müssen die ganzen Käfige aufmachen. Ich will, dass diese Seelen hier rauskommen. Jetzt mach schon!"

Wie ein Tornado wirbelte sie herum, dabei flogen Ihre Haare und kleine, silberne Fünkchen stoben heraus. Die Fünkchen glichen kleinen Sandkörnern.

Ihre Augen funkelten ihn wütend an: „Jetzt mach schon! Wie siehst du überhaupt aus? Wie ein Totengräber in seiner letzten Stunde. Du solltest dich schämen, so herumzulaufen!"

Bibi stotterte: „Die … die … sind doch freiwillig …"

„Halt die Klappe. Nix von wegen freiwillig. Die warten schon eine Ewigkeit darauf, dass sie hier rauskommen. Und jetzt hole ich sie."

„Wer bist du eigentlich? Und was willst du hier?", wagte Bibi zu fragen, als sich ein kleines Sandkorn in sein Auge setzte.

Das Weib wirbelte herum, ging langsam mit ausgestrecktem Zeigefinger auf ihn zu: „Hör mal zu, du kleiner Mann, ich bin hierhergekommen, weil mich interessiert, was hier unten so abläuft. Dann meinte einer von diesen blöden grauen Typen, dass sie an meiner Codierung herumwerkeln könnten. Und was macht dieses Rindvieh? Er kappt die völlig falschen Stränge. Zu meinem Glück! Jetzt bin ich endlich diese dämlichen Zwangscodierungen los, weiß, woher ich komme und wer ich bin. Und du Zwerg willst wissen, wer ich bin. Ich sag dir was, das geht dich einen Scheißdreck an! Ist das klar? Haben wir uns verstanden?"

Bibi nickte. Er starrte nur auf dieses Vulkan-Vollweib, das vor Kraft und Energie fast zu platzen schien. Was für ein Weibsbild! Es war ihm egal, was sie sagte, er wollte sie nur ansehen. Ja, so ein Weib, ihre Wildheit, ihre Kraft, ihre Schönheit, das wäre die Richtige an seiner Seite. Er wäre ihrer … nein, umgekehrt … sie wäre seiner würdig.

Sie tobte im Raum herum, drehte sich, sprang, hüpfte — und viele Sandkörnchen wurden aufgewirbelt. Das Vollweib riss alle Schränke und Türen auf, ebenso Kisten, Kästen, Käfige, holte Seelen von ihren Kreuzen, riss sie von Ketten, entwand ihnen die Selbstkasteiungs-Peitschen, warf Kübel um und rief den Seelen zu: „Los jetzt, kommt schon! Ihr müsst hier jetzt raus. Beeilt euch. Dalli, dalli."

Die Seelen gehorchten widerspruchslos.

Bibi versuchte, sich dieser Augenweide zu nähern. Nichts wollte er mehr, als sie zu riechen, zu berühren, zu schmecken. Sein Verstand war umnebelt und ruhte, aber seine Augen labten und weideten sich an ihrem Anblick.

„Verdammt noch mal, du sollst nicht glotzen. Pack mit an!" Abrupt drehte sie sich zu ihm um: „Und wenn du armselige Kröte mich auch nur einmal anfasst, dann kannst du was erleben!" Mit diesen Worten stupste sie ihren Zeigefinger auf seine Brust.

Bibi erfasst ein wohliger Schauer. Seine Knie wurden weich, die Beine zitterten, die Augenlider flatterten. „Wo willst du mit ihnen hingehen?"

„Raus natürlich, du Vollpfosten."

„Darf ich mit?"

„Wage es! Wag es, mir hinterher zu kommen. Zieh dich erst mal richtig an. So, wie du aussiehst … pfui Teufel."

Bibi schmolz dahin. Sie sorgte sich um sein Aussehen. War das nicht ein Zeichen dafür, dass auch sie ihn mochte? „Was meinst du, soll ich anziehen?"

Die Antwort lautete: „Idiot!"

Rudlinde wühlte und schuftete, scheuchte die verängstigten und ratlosen Seelen zusammen, riss weitere Türen auf, bis sie meinte, die meisten Seelen gefunden zu haben. Sie führte sie zum Ausgangstor und hieß sie, dem Weg durch den Tunnel zu folgen. Dann drehte sie sich noch mal zu dem wachsweichen Bibi um: „Im Übrigen bin ich Rudlinde. Leg dich nicht mit mir an! Und räum mal diesen Saustall auf."

Dann wirbelte sie wieder herum und folgte den Seelen zum Ausgang.

Bibi sah ihr schmachtend nach. Wie gern würde er ihr einen Weg bereiten, sah aber ein, dass sie sich wie eine Dampfwalze ihren Weg selbst schaffen würde. Umziehen! Er sollte sich umziehen. Einen gedeckt grauen Anzug? Oder doch besser ein stylisch sportlich-legeres Outfit? Ja, das würde ihn etwas jünger aussehen lassen. Vielleicht ein blaues Sakko mit einem rosa Hemd? Sein Gesicht glühte, die kleinen Hörnchen auf dem Kopf leuchteten wie das Rotlicht einer Ampel. Bibi in love.

Der Fleck auf der Haut, wo Rudlinde – er sang den Namen regelrecht – ihn berührt hatte, brannte wie Feuer. Er würde sich genau dort ein Tattoo stechen lassen. Eine Rose mit einem Herz drum herum. Und die Buchstaben ihres Namens müssten den ganzen Arm herunter eintätowiert werden. Bibi war zum ersten Mal in seiner Existenz hoffnungslos verliebt. Er zweifelte nicht im Mindesten daran, sie finden zu können. Denn ein Kraftvollweib wie sie würde überall ihre Spuren hinterlassen.

Wie auf Wattewölkchen bewegte er sich in seinen Privatbereich zurück. Dabei stoben weitere Staubkörnchen durch die Luft und flogen ungehindert durch die geöffneten Türen.

Anna stand derweil noch unschlüssig vor dem Eingangstor zum Tunnel. Sie schrak heftig zusammen, als plötzlich wie ein Funken speiender Vulkan haufenweise Seelen aus dem Tunnel geflogen kamen. Zum Schluss erschien ein Kraftpaket von Frau. Die blickte zu Anna und fragte freundlich: „Na, Kleine, was machst du denn hier? Das ist kein Platz für dich. Du hast hier nichts zu suchen. Geh nach Hause!"

Dann trieb sie ihre Seelen-Schar voran.

Anna schluckte. Rudlinde! Das war unverkennbar Rudlinde gewesen. Und sie hatte sich Sorgen um Rudlinde gemacht – das war ja wohl der Witz schlechthin!

Die verloren gegangene Seele

Kaum war F4 an ihrem Platz zurück, hörte sie die Nachricht: „Lotta ist abgehauen!"

„W-a-s hat Lotta gemacht?"

„Sie ist abgehauen, verschwunden, zurückgegangen."

F4 schluckte. Während ihrer Schulung waren diverse Szenarien zu Heimkehrern durchgegangen worden. Das Thema Rückkehr war jedoch nicht behandelt worden. In F4 krampfte sich alles zusammen. Wieso war plötzlich alles so schwierig geworden? Alles lief anders als früher. Was musste man in einem solchen Fall tun?

Die Freundin meinte flüsternd: „Die Fänger müssen informiert werden."

„Die Fänger?"

„Ja, das macht man in besonders schwierigen Fällen. Guck dir das doch mal an. Wenn das nicht schwierig ist!"

Beide sahen sich zusammen auf ihrem Monitor Lotta mit ihrem Mann in deren Wohnzimmer an.

Lottas Mann, Bernd, war die große Trauer nach dem Verlust seiner Frau deutlich anzumerken. Sie hatten ja so eine gute Ehe geführt, so liebevoll, so rücksichtsvoll. Und immer machten sie alles gemeinsam. Ach, der Arme, wie er jetzt litt! Wie er jetzt wohl zurechtkäme ohne seine geliebte Lotta.

Hätten die Leute genauer hingesehen, wäre ihnen etwas aufgefallen: Als Bernd auf dem Friedhof vor dem Sarg seiner geliebten Lotta gestanden hatte, war ein merkwürdiges

Zucken um seine Mundwinkel gegangen. Und seine Augen hatten geblitzt. Das lag bestimmt an den unterdrückten Tränen, hatten die Leute gedacht. Was sie nicht wussten, und was Bernd ihnen niemals sagen würde, war, dass er heilfroh war, endlich diese Frau losgeworden zu sein. Endlich, endlich, endlich! Die gezeigte Trauer, die er gut aufrechthalten konnte, lag nur daran, dass er künftig selbst kochen, waschen und sauber machen müsste. Er beschloss, noch recht lang den trauernden Witwer zu mimen, dann würde er schon von seinen Kindern und den Nachbarn versorgt werden. Und zu gegebener Zeit würde er sich eine hübsche, nette Putzfrau oder Haushälterin holen.

Im Moment lümmelte er entspannt und höchst zufrieden auf dem Sofa, die Füße auf dem Tisch, eine Bierflasche in der Hand und den Aschenbecher neben sich. Die Schuhe lagen verstreut auf dem Fußboden. Bernd seufzte tief und lächelte. Was für ein Genuss! Nie wieder dieses „wo bist du, wo bleibst du, was hast du gemacht, wann kommst du, was möchtest du essen, möchtest du jetzt Häppchen oder lieber mit mir kuscheln? Liebst du mich? Ich liebe dich. Nicht wahr, du liebst mich auch so, wie ich dich liebe!" Er hatte es gehasst, ständig von ihr mit solchen Fragen drangsaliert zu werden, sie lieben zu müssen, wenn sie in ihrem Alter wieder ein neues, lächerliches Negligé oder blödsinnige Reizwäsche trug. Es war einfach ekelhaft gewesen. Zu gern hätte er sie umgebracht. Doch dazu war er zu feige gewesen. Wie oft hatte er überlegt, sich scheiden zu lassen! Aber er war sich klar darüber gewesen, dass sie nie aufhören würde, ihn zu verfolgen. Somit entschied er sich, ein braver Ehemann zu sein und so lang wie möglich und so viel wie möglich außer Haus zu bleiben und zu arbeiten. So galt er als fleißiger, fürsorglicher und strebsamer Mann, der sich für seine Frau und seine Familie abrackerte und aufopferte.

Die Wahrheit hingegen, dass er ein sogenannter Nestflüchter war, der seine Frau und die schrecklichen Kinder nicht ausstehen konnte, hätte niemand für möglich gehalten.

So saß er jetzt also endlich gemütlich auf dem Sofa, guckte ein Programm, das Lotta nicht hatte ausstehen können, als er plötzlich ein merkwürdiges Gefühl am Hals spürte. Entsetzt sprang er auf. War Lotta zurückgekehrt? Genau so war es ihre Art gewesen: sich von hinten anzuschleichen und ihm auf den Hals zu hauchen. Aber da war niemand. Dann glaubte er, einen Schatten an der Küchentür zu sehen, und mit einem Male meinte er, ihre grelle Stimme zu hören: „Liebling, möchtest du Häppchen oder lieber mich?"

Drehte er jetzt durch? Erlaubte sich da jemand einen üblen Scherz? Doch dieser Windhauch, mal hier, mal da, der nahm kein Ende. Es war, als wäre Lotta immer noch da. Direkt neben ihm. Dann wieder diese Stimme: „Möchtest du deine liebe Frau quälen und ihr Mühe machen, weil deine Schuhe hier rumliegen? Oder liebst du mich nicht mehr?"

Bernd war sich sicher, dass er sich allein im Wohnzimmer befand. Trotzdem stand er automatisch auf, nahm seine Schuhe, trug sie in den Flur, stellte sie ab, nahm sie wieder in die Hand, zog sie an und rief ins Wohnzimmer: „Soll dich doch der Teufel holen!". Dann verließ er sein Haus.

Mitfühlend und verständnisvoll schlussfolgerten seine Nachbarn, dass er es ohne seine geliebte Lotta einfach nicht zu Hause aushielt.

Währenddessen führte Bibi mit äußerster Sorgfalt seine Toilette durch. Er schliff die Hörnchen am Kopf besonders fein und rund, legte gekonnt sein schwarzes, lockiges Haar darüber, schnitt Finger- und Zehennägel und ölte seinen Körper mit wohlriechendem Jasminduft ein. Nachdem er sechzehn Krawatten zu dem rosa Hemd ausprobiert hatte, entschied er sich, doch ohne Krawatte zu gehen. Er würde zwei Knöpfe offenlassen. Dazu passte es eigentlich, unter das Hemd ein weißes Tanktop anzuziehen, das bei den geöffneten Knöpfen leicht aufblitzte. Das wirkte ungemein jugendlich. Kurz zog er in Erwägung, vom Staatsminister quasi von Bruder zu Bruder, dessen super geile Lederjacke zu borgen. Doch das verwarf er schnell. Das fünfte anprobierte Sakko, in gedecktem Blau, passend zu den grauen Flanellhosen – nein, doch besser die Designer-Jeans – rundeten sein Erscheinungsbild zu seiner Zufriedenheit ab. Es fehlten nur noch die Schuhe. Kein Problem. Er lieh sich auf unbestimmte Zeit diese absolut galaktischen Cowboy-Stiefel von dem Immobilienhändler. Sehr edel, ohne protzig zu sein. Ja, so konnte er seiner Geliebten, seiner Rudlinde, unter die Augen treten. Irgendwie schade, dass man sein neues Tattoo RUDLINDE nicht sehen konnte!

Jetzt stellte sich die Frage, was er diesem Wahnsinnsweib als Geschenk oder besser als Freundschaftsgabe mitnehmen könnte. Er lachte bei dem Gedanken, dass sie ihm einen Blumenstrauß um die Ohren hauen würde. Ja, so war sie eben, diese temperamentvolle Frau. Aber was dann? Schmuck war viel zu persönlich und völlig fehl am Platz. Es musste etwas Spezielles sein, etwas Besonderes. Dann kam ihm d-i-e Idee. Er würde ihr noch ein paar verlorene Seelen quasi nachreichen.

Eilig durchsuchte er alle Räume, Ecken, Kisten, Kästen, Käfige, Kreuze nach einem Überbleibsel, doch Rudlinde hatte ganze Arbeit geleistet. Aber es musste doch irgendwo noch eine Seele geben, irgendwo! Sein Blick fiel auf die offene Tür. Richtig! Bei seinen Untermietern würden noch welche zu finden sein. Die Liebe ließ ihn durch die verbotene Tür treten, die ja sowieso offenstand, und die Stufen hinunter gehen. Ihm sickerten ein paar Sandkörner hinterher. Er hörte eine Stimme:

„Mach doch einer die Tür zu! Das ist ja unerträglich hier!" Sogleich eilte ein kleiner Grauer auf ihn zu, als dem prompt ein Sandkorn ins Auge fiel. Der Graue heulte auf, jammerte und verkroch sich nach unten. Bibi war wohltuend beeindruckt. Endlich, es wurde auch Zeit, dass ihm diese Bagage den nötigen Respekt entgegenbrachte! Das stärkte sofort seine Entschlossenheit, nach ein paar Seelen Ausschau zu halten und sie sofort mitzunehmen.

So musste das sein! Nach und nach begannen die weiteren anwesenden Grauen zu wimmern und sich zu krümmen. Sie rieben sich Augen, Nasen, Ohren, kratzten an ihren hautengen Overalls, die sofort Löcher bekamen, und waren schlicht nicht ansprechbar. Das nannte man Respekt vor dem Fürsten der Finsternis!

Bibi sah sich um und fand schnell, was er suchte: Seelen in Reagenzgläsern, unter Glasscheiben und ein besonderes Prachtexemplar, eingeschlossen in einem Bergkristall. Er sammelte alle ein, beließ die Seele im Kristall, weil es zu schön aussah.

Endlich konnte er los. In freudiger Erwartung folgte er Rudlindes Spur, die sie unverkennbar wie eine Schneise geschlagen hatte. Dann sah er sie. Sein Herz schlug bis zum Hals, der Mund wurde trocken, die Knie waren ganz weich. Mehrmals atmete er tief ein, bevor er sich stark genug fühlte, sich ihr zu nähern.

„Rudlinde", er hauchte diesen Namen regelrecht, „da ... du ... die sind auch noch da gewesen", und übergab ihr den Kristall mit der eingeschlossenen Seele und schob die anderen, vollkommen desorientierten, verlorenen Seelen zu ihr hin.

Rundlinde betrachtete ihn forschend. „Sieht schon besser aus", meinte sie. Bibi erschrak. Hatte er doch die falsche Kleidung gewählt? Doch dann meinte sie: „Du kommst gerade recht. Komm mal mit!" Erleichtert atmete Bibi auf.

„Danke übrigens für deine Mühe, dass du diese Seelen noch gebracht hast."

Bibi errötete: „Nicht der Rede wert. Ich dachte, du ..." Er kam nicht weiter, denn schon stob Rudlinde mit wehenden Haaren und rauschendem Rock davon. Er beeilte sich, ihr zu folgen.

Als sie einen großen Monitor erreichten, blieb sie stehen und deutete darauf. „Sieh dir das mal an." Nun stand sie direkt neben ihm, sodass sich ihre Schultern berührten. Ihre Hitze ging ihm durch und durch, sein Verstand stand still. Er guckte nicht, er glotzte auf den Monitor, sah aber nicht hin.

„Siehst du diese Seele?" Sie deutete mit dem Finger auf Lotta. Bibi nickte mechanisch.

„Kannst du sie holen? Sie hat dort nichts mehr verloren. Es geht nicht, dass eine Seele hierherkommt und dann wieder geht. Dann hätte sie gleich unten bleiben müssen." Sie schüttelte unwirsch den Kopf, sodass ihre Haare sein Gesicht streiften. Himmel und Hölle, da konnte man doch nicht mehr denken!

„Schaffst du das?"

Bibi nickte. „Du musst aber sehr vorsichtig mit ihr umgehen. Sie darf nicht verletzt werden. Hast du das verstanden?"

Bibi nickte. Dann legte sie eine Hand auf seine Schulter: „Bibi, es eilt!"

Gab es himmlisches Fegefeuer? Dann befand sich Bibi gerade mittendrin. Er zitterte, schwitzte, fror, war verwirrt, überglücklich und selig. Rudlinde war längst wieder weg, als er immer noch vor dem Monitor stand. Er brauchte ein wenig Zeit, um seine Fassung zurückzuerlangen. Das dauerte. Dann begriff er, was sie gesagt hatte. Sie hatte ihm eine Aufgabe gegeben, die er bestens erfüllen müsste. Ihm hatte sie diese Aufgabe gegeben, ihm allein! Ihm vertraute sie. Ihm!

Er warf noch einen Blick auf den Monitor, betrachtete die Seele Lotta, dann straffte er die Schultern. Seine Rudlinde würde stolz auf ihn sein! Eine einfache Aufgabe und schnell erledigt. Rein, raus, fertig! Er würde sein Bestes geben.

Bibi in Not

Indessen machte Robins Genesung große Fortschritte. Ein Arm und vier Finger waren inzwischen annehmbar bewegungsfähig, die Zehen empfindungsfähig. Das war noch nicht viel, aber ausgehend von der Prognose einer nicht reversiblen Lähmung doch ein riesiger Fortschritt.

Mia besuchte ihn jeden Tag. Abends musste sie zu ihrer „himmlischen" Ausbildung. Sie hatte sich mit ihren Lehrern so verabredet, dass sie abgeholt werden würde, wenn sie es selbst nicht schaffte zu kommen. Sie erinnerte sich dann stets an jedes Detail ihres Aufenthaltes. Jeden Tag berichtete sie Robin von den neuen Erkenntnissen und probierte sie sofort an ihm aus. Sie wusste nicht, dass sie und ihre Lehrer bereits während der Nacht mit und an Robin arbeiteten.

Robin konnte sich nur erinnern, dort, bei diesem wunderbaren Mann gewesen zu sein, der ihm mittlerweile so lieb war wie ein Vater. Das beruhte auf Gegenseitigkeit. Ihm war irgendwie klar, dass sie gemeinsam an einer Sache arbeiteten, konnte sich am Morgen aber nicht daran erinnern. Nur hatte er jeden Morgen eine grandiose Idee, wie er an seinem Elektronikboard weiterarbeiten müsste.

Mia und Robin waren unzertrennlich und fühlten sich auf Erden dem Himmel näher als irgendwo sonst.

F4 hingegen war mehr als aufgeregt. Zum einen wartete sie auf die Genehmigung für ihren Erdbesuch, zum anderen erschreckte die Geschichte mit Lotta sie mehr, als der Sache eigentlich angemessen war. Jetzt hieß es, Hilfe wäre ausgesandt worden, um Lotta zurückzuholen. F4 starrte auf den Monitor. Ihr sollte nichts entgehen.

Da! Jetzt sah sie es. Die Hilfe war eingetroffen.

Bibi, dem Auftrag entsprechend in einen dunkelgrauen Anzug mit dezenter Krawatte gekleidet, stand an der Tür zu Lottas Wohnzimmer.

Mit tiefer, sonorer Stimme sprach Bibi sie an: „Madam, verzeihen Sie mir die Kühnheit, mich Ihnen zu nähern." Diese Strategie hatte sich Bibi ausgedacht: sehr zuvorkommend altmodisch, Kavalier alter Schule, zurückhaltend, dann schmeichelnd, dann überzeugend. Dann mitnehmen!

Lotta zuckte zusammen, drehte sich um und betrachtete misstrauisch diese äußerst attraktive Gestalt. Ein gutaussehender Mann mittleren Alters in grauem Anzug mit Einstecktuch, passend zur Krawatte. Das liebte sie.

„Was wollen Sie?", fragte sie teils neugierig, teils skeptisch.

Bibi trat einen halben Schritt näher auf sie zu, ließ seine Augen leuchten und sprach: „Madam, wie lange zögerte ich, Ihre Aufmerksamkeit auf mich zu lenken. Doch nun kann ich diesem Drang nicht länger widerstehen. Verzeihen Sie mir."

Bibi ließ diese Worte auf sie wirken, um Lottas erste Reaktion abzuwarten. Ihre Haltung verriet, dass sie mehr hören wollte. Er legte eine Schippe drauf: „Ihre Gestalt, Ihre Anmut, Ihr hoher Geist verwirren mich. Ich bitte Sie, ich flehe Sie an, lassen Sie mich Ihr Diener sein." Das war zwar ein bisschen dick aufgetragen, aber es sollte ja alles schnell abgewickelt werden.

Lotta betrachtete ihn nun wohlgefällig. Ja, das war ein Mann! Ein richtiger Mann, der wusste, wie er sich zu benehmen hatte und einer, der sie endlich als das erkannte, was sie war: eine unwiderstehlich wunderbare Frau. Ihr Mann war gegen diesen Gentleman eine Nusche. Lotta begann zu säuseln: „Der Herr, es ist mir eine Freude, Ihre Bekanntschaft machen zu dürfen." Sie suchte nach dem passenden Wort, um sich seiner Ausdrucksweise anzupassen: „Was ist Ihr Begehren?"

Bibi sah den Sieg bereits in seiner Tasche. „Verehrte Damen, Schönste unter den Wolken, lassen Sie mich Ihnen den Rahmen geben, der Ihnen gebührt. Ich möchte Sie in den schönsten Gewändern sehen wie einen Diamanten in einer exquisiten Fassung. Ich sehne mich danach, Sie zu den bezauberndsten Plätzen zu führen, um denen die Ehre zu geben, in Ihrer Anwesenheit zu verblassen." Das war jetzt wirklich ein bisschen sehr dick aufgetragen! Aber es wirkte. Lotta wiegte sich wie ein junges verschämtes Kind, legte eine Hand auf den Mund und kicherte. Grässlich! Dann sagte sie: „Da ich Ihre Aufwartung zu schätzen weiß, ebenso wie Männer mit gutem Benehmen, erlaube ich Ihnen, mich ausführen zu dürfen."

Lotta ging auf ihn zu und legte ihren Arm in seinen. Sie strahlte. Er strahlte. Beide jedoch aus völlig anderen Gründen. Dann nahm Bibi sie mit.

F4 atmete erleichtert auf. Sie hatte gar nicht gewusst, was für ein Charmeur dieser Bibi war!

Bibi eilte mit Lotta im Arm schnurstracks zu Rudlinde. Überrascht blickte die auf. Das war aber schnell gegangen! Ihr Blick ruhte auf Bibi, dankend und liebevoll.

„Ooooh!"

Das war mehr, als Bibi erwartet hatte. Er erkannte sofort, dass sie ihn wirklich liebte. Sie liebte ihn, sie liebte ihn! Vorsichtig wollte er Lottas Arm von seinem lösen, doch da hatte er sich verrechnet. Sie krallte sich regelrecht hinein. Freundlich und beschwörend sprach er auf sie ein: „Madam, darf ich Sie einer wunderbaren Freundin übergeben, die für Sie bestens sorgen wird."

„Nein", schrie Lotta schrill, „ich bleibe bei dir. Ich gehe nicht von dir weg."

Rudlinde zwinkerte Bibi verschwörerisch zu und sagte sanft zu Lotta: „Meine Liebe, natürlich können Sie bei ihm bleiben. Solange Sie es wünschen." Wieder zwinkerte sie Bibi zu.

Am liebsten hätte sich Bibi auf Rudlinde gestürzt, sie umarmt und nie wieder losgelassen. Nun aber musste er wenigstens für eine kurze Weile dieses Spiel mitspielen. Er wandte sich an Lotta: „Dann kommen Sie, Madam, ich führe Sie in meinen Palast." Lotta nickte wohlgefällig, drückte sich an ihn und ließ sich wegführen.

Arm in Arm ging Bibi mit Lotta zum Eingang der Hölle. Verflixt, es war ja überhaupt nicht aufgeräumt! Rudlinde, seine Rudlinde! Und er hatten hier das reinste Chaos geschaffen. Wer weiß, vielleicht würde Lotta ja erschrecken und fliehen. Schön wäre das ja.

Ja, es wäre zu einfach und zu schön gewesen. Denn Lotta klatschte entzückt die Hände und jubelte: „Wie originell es hier aussieht. Wunderbar! Es hat so etwas magisch Düsteres. Können wir das Feuer wieder anmachen?"

Sie deutete auf das Fegefeuer. Bibi nickte. Erschöpft ließ er sich auf eine umgestürzte Kiste sinken. Sofort sprang

Lotta auf seinen Schoß und ihre Arme umschlossen seinen Hals. „Liebster", flüsterte sie, „mein Liebster". Ihre Hand krabbelte wie eine Spinne seinen Arm hinunter und wieder hinauf, wobei sich sein Hemdärmel nach oben schob. Sie entdeckte die Buchstaben des Tattoos RUDLINDE. Sofort war sie alarmiert und fragte: „Ist das ein Name?"

„Nein, das sind nur ... äh ... die Anfangsbuchstaben eines Satzes."

„Wie heißt der Satz?", fragte sie immer noch argwöhnisch, lauernd. Nach einer kurzen Denkpause antwortete Bibi langsam, Wort für Wort: Rein Und Demütig Liebe Ich ..." Das N, D und E gingen unter.

Lotta war entzückt: „RUDLI, RUDLI, wie wunderschön. Das hast du für mich gemacht. Wie ich dich liebe. RUDLI."

Bibi stöhnte. Endlich!

Falsch gedacht! Denn darauf hatte Lotta nur gewartet: So stöhnte nur ein Mann, der eine Frau begehrte. Sofort sprang sie von seinem Schoß, rief: „Warte, mein Liebster", und kehrte einen kurzen Augenblick später zurück. Bibi bekam einen Schock. Dieses Klappergestell als Windspiel an einen Baum gehängt, würde jede Krähe verscheuchen!

Lotta tänzelte mit einem Tablett zu ihm, bekleidet mit erotischer Sexbekleidung und rotem Negligé. Säuselnd fragte sie: „Möchtest du Häppchen oder lieber mich?" Bibi sprang auf und rannte schnell wie der Teufel zum Ausgang. Lotta klapperte hinterher, mit rot wehendem Negligé, laut rufend: „Rudli, Rudli!"

Bibi musste seine Taktik ändern. Er würde ihr zeigen, dass er ein echter Teufel war! Das entsprach auch seiner Stimmung. Er holte eine frische Leiche, natürlich ohne Seele, von einem Unfallort, knallte sie vor Lotta hin und rief: „Sieh her, ich bin ein Teufel!" Dann hieb er mit einer Axt dem Körper den Kopf ab. Das noch frische Blut spritzte in alle Richtungen, zum Glück nicht auf seine Cowboy-Boots.

Lotta kreischte vor Vergnügen. „Liebster, du bist ja ein richtiger Zauberer! Das sieht so echt aus. Wie wunderbar du bist! Kannst du das noch einmal machen?"

Entgeistert blickte Bibi sie an. Sie wollte Blut sehen. Bibi setzte seine wildeste Miene auf. Wieder jubelte Lotta. „Mein Liebling, du bist so komisch! Ich habe lang nicht mehr so gelacht." Dann warf sie sich ihm um den Hals, spitzte den Mund zu einem Krähenschnabel, um ihn zu küssen. Sofort entwand sich Bibi ihr. Er brauchte eine Idee. Und zwar schnellstmöglich! Diese Krähe war ja nicht zu ertragen! Wie hatte ihr Mann es nur so lang mit ihr aushalten können? Vorsichtig musste er vorgehen. Aber wie? Er brauchte Rat.

„Meine Liebe", Bibi blickte Lotta in die Augen, „ich habe eine Überraschung für dich vor. Deshalb muss ich da jetzt allein hineingehen. Du musst hier draußen bleiben, ja? Ich gehe dort allein hin. Sonst wird es ja keine Überraschung. Du bleibst hier draußen, ja?" Lotta schmiegte sich an ihn, sodass ihre spitzen Knochen fast seine Lungen eindrückten. Sie nickte mit verklärtem Blick. Behutsam schob er sie von sich und wiederholte eindringlich und beschwörend: „Du bleibst jetzt hier, ja?! Ich bin gleich zurück." Lotta blieb tatsächlich stehen.

Schnell huschte Bibi durch die Tür. AHAM, ein weiser Mann, der Ratgeber in schwierigsten Angelegenheiten war, sah ihm ernst und doch freundlich entgegen.

„Willkommen, Fürst der Finsternis", sagte er. Erfreut über die korrekte Anrede, setzte sich Bibi ihm gegenüber. Es war zwecklos, AHAM etwas vormachen zu wollen. Er hatte den Blick, mit dem er alles sehen und durchschauen konnte. Lügen oder Mogeln waren zwecklos. Er schilderte so kurz wie möglich, dass er von Rudlinde gebeten worden war, eine verirrte Seele von der Erde zu holen. Und diese Seele würde jetzt an ihm kleben, also nicht an ihren Bestimmungsort gehen.

AHAM sah ihn forschend an. Kein verstecktes Lächeln, kein verräterisches Augenblitzen. Nur Ernsthaftigkeit und Verständnis. Oder leuchtete da etwa Mitleid auf? AHAM drückte ein paar Punkte auf seinem Monitor, dann blickte er auf und sagte zu Bibi: „Ich sehe. Hier handelt es sich um eine extreme Form der Verlustangst und außerdem Dispin… Schwierig. Sehr schwierig!"

Dispin-irgendwas war Bibi unbekannt. Oder sollte er doch richtig gehört haben und AHAM hatte gesagt: die spinnt?

AHAM unterbrach seine Überlegungen. „Es gibt eine erste Möglichkeit …"

Bibi wollte nicht die erste Möglichkeit hören, sondern die letzte, ultimative. Doch er schwieg.

„Du solltest sie an einen Ort führen, der ihre ganze Aufmerksamkeit fordert. Da ziehst du dich langsam zurück. Dann sehen wir weiter."

Bibi nickte, stand betreten auf, bedankte sich höflich und ging hinaus.

Augenblicklich klebte Lotta wieder an seinem Hals. „Liebster, mein Schatz, mein Engel. Du siehst so traurig aus. Nimm mich auf deine wunderbaren starken Arme, dann geht es dir gleich besser." Sagte es und schwang sich auf seine Arme. Es war so entwürdigend, so ekelhaft!

So freundlich, wie es ihm möglich war, meinte er: „Meine Liebe, es hat nicht so geklappt, wie ich es mir für dich gewünscht habe. Ich werde noch mal kurz wegmüssen. Du musst leider noch einmal für ganz kurze Zeit allein bleiben. Hörst du?"

Sie schmiegte sich nur noch enger an ihn und grunzte liebevoll.

Bibi hatte sich inzwischen an seinen letzten Neuerwerb erinnert, einen selbst ernannten Guru, der vorgab, in der Akasha-Chronik lesen und sehen zu können, welche vorherigen Inkarnationen eine Seele hatte. Es müsste doch mit dem Teufel zugehen, wenn er nicht eine schnellere Lösung für Lotta, also eine Loslösung, finden würde!

Er traf den Guru inmitten einer Schar Gläubiger dabei an, wie er gerade den Satan beschwor, doch endlich zu erscheinen. Da kam Bibi ja wie gerufen. Er erschien und verbreitete ein wenig Rauch, um seine Echtheit zu verifizieren. Dann krallte er sich den Guru und flüsterte ihm heiß vor innerer Wut ins Ohr: „Finde heraus, wo Lotta in früheren Leben gewesen ist. Gleich! Sofort! Jetzt!"

Der Guru stotterte: „Ich muss da erst in Kontemplation gehen."

„Ist mir scheißegal, wohin du gehen willst, ich brauche diese Information jetzt. Mach schon!"

Derart unter Druck gesetzt, stotterte der Guru: „Ah, ich sehe, ah, ich sehe."

„Was?"

Nun log der Guru: „Ich sehe eine wilde Frau auf einem Schiff mit einem wilden Piraten. Ja … jahaaa … das hat ihr gefallen."

Bibi ließ den Kragen des Gurus los, versprühte noch ein wenig Rauch und verschwand.

Freudestrahlend eilte er zu Lotta zurück: „Meine Liebe, lass uns einen Ausflug machen. Es wird dir gefallen!"

Sie kicherte, schwang sich auf seinen Rücken, umklammerte mit ihren Skelettbeinen seine Brust und legte ihren Kopf an den seinen. Sie war die reinste Pest. So schnell er konnte, rannte er los, bis er endlich die Schleuse zum Tor in die Vergangenheit erreichte. Er wusste, wie das funktionierte: Er setzte die Absicht, dass Lotta in der Vergangenheit auf einem Schiff mit einem möglichst wilden Piraten landen sollte. Dann ließ er Lotta von seinem Rücken heruntergleiten und sagte seeeehr sanft zu ihr: „Madam, Ladies first." Er führte Lotta zum Tor. Mit aller ihm zur Verfügung stehenden Kraft und Wucht und Wut und Verzweiflung gab er ihr einen Tritt. Und schon schwebte Lotta davon. O-h-n-e ihn! Es gab einen Kontrollmonitor, der erkennen ließ, ob der Reisende auch wohlbehalten an seinem Ziel angelangt war. Ja, das war sie.

Ah, welch ein Bild! Lotta auf einem alten Handelsschiff inmitten von lauter wilden Gesellen. Und Lotta, die sich einem von Blut triefenden Kapitän an den Hals warf und säuselte: „Liebster, endlich bin ich wieder bei dir!"

Endlich! Endlich war Bibi frei. Diese Wohltat! Jetzt würde er gern feiern, tanzen, herumtoben, aber er war zu erschöpft. Seine Mission war beendet. Nach einer großen Ruhepause würde er sich endlich wieder seinen Bemühungen um Rudlinde widmen können.

Es geht vorwärts

Schon immer hatte es ja den Menschen ausgezeichnet, dass er in Zeiten großer Not besonders einfallsreich, pfiffig und umtriebig werden konnte. So war es auch jetzt. Der Überlebensdrang hatte eine neue Dimension bekommen, die der aus vergangenen Zeiten durchaus ähnelte. Was möglich war, wurde gemacht, viele Menschen entwickelten einen besonderen Erfindungsreichtum, und so manch einer hatte einen geradezu himmlischen Einfall. Womöglich hatten diese Menschen solche Ideen von einer ihrer nächtlichen Reisen mitgebracht. Oder es mag daran gelegen haben, dass sich der Elektrosmog drastisch gesenkt oder das Magnetfeld der Erde weiter verdünnt hatten, oder dass Mutter Erde ein ganzes Stück auf ihrem Weg in die fünfte Dichte vorangekommen war. Oder es war ein Zusammenspiel von alldem.

Es gab kaum noch Abfall, alles wurde verwertet. Die Worte der Regierenden blieben ungehört, jeder war mit sich und seinem Leben beschäftigt. Beinahe unmerklich hatte sich eine Atmosphäre des freudigen Neubeginns verbreitet, denn jeder war auf irgendeine Weise gezwungen, sich mit seinen Talenten und Fähigkeiten in den Alltag einzubringen.

Die Warenwirtschaft stockte wegen unzureichender Transportmöglichkeiten und dadurch nicht durchführbarer Neuproduktion. Also war das Motto eines jeden Tages: Mach was draus, mach das Beste draus!

Nach und nach fanden die Menschen Gefallen daran. Die Grundbedürfnisse waren befriedigt, denn sie hatten etwas zu essen. Wo es Erde gab, wurde angepflanzt. Und geerntet. Alte Kleidung wurde umgearbeitet und bekam einen neuen Look, aus irgendetwas Altem wurde irgendetwas Neues hergestellt.

Retro und Vintage waren nicht mehr ein Modestil, sondern alltägliche Bestandteile des Lebens.

Und es gab immer wieder erstaunliche, neue Ideen wie beispielsweise das Einschrumpfen von Kunststoff, aus dem dann je nach Wahl handwerklich attraktive, neue Gegenstände gepresst wurden.

Auch bei Medikamenten kam es zu Lieferengpässen und viele Kranke waren darauf angewiesen, auf alte Hausmittel zurückzugreifen. Als Nebeneffekt gesundeten manche, die eher unter den Nebenwirkungen von Medikamenten gelitten hatten als unter einer Krankheit. Altes Wissen wurde ausgegraben und angewendet.

Die Natur atmete auf, Mutter Erde amüsierte sich, hütete sich aber, wieder zu kichern oder den Kopf zu schütteln. Die Menschen hatten genug unter ihren emotionalen Ausbrüchen zu leiden gehabt.

Das Leben ging also weiter. Die Menschen sprachen miteinander, tauschten sich aus, freuten sich an allem, was sie aus Kellern und von Dachböden hervorgeholt hatten und verwenden konnten. Und immer wieder das Motto: Mach was draus! Mach das Beste draus!

Sarah saß mit ihrem Bräutigam in einem kleinen Auto mit offenem Verdeck. Das Auto wurde mangels Benzin von vier Pferden gezogen. Auf der Kühlerhaube war ein Kutschbock arretiert, und zwischen den Beinen des Kutschers prangte ein wunderschönes Gesteck aus Margeriten und blauen Glockenblumen. Ein entzückendes Bild! Das Kleid der Braut war prämienwürdig aus Gardinen hergestellt, der Anzug des Bräutigams war ebenfalls praktisch maßgeschneidert worden.

Und Bibi half, wo er nur konnte. Seine Enttäuschung war grenzenlos gewesen, als er die Nachricht bekommen hatte, dass Rudlinde nun dauerhaft in D7 wäre. Aus seiner jetzigen Position heraus war es ihm unmöglich, in diese hohe Frequenz zu steigen. Aber er musste dorthin, um jeden Preis! Und das ging nur, wenn er so schnell wie möglich ein Guter würde. Ein ganzer Guter. Um nicht wieder in Depressionen zu verfallen, entschied er, augenblicklich zur Erde zu fliegen, um Gutes zu tun. So viel wie möglich. Und genau das tat er jetzt.

Er half alten Leuten in den Bus oder die Bahn, ob sie wollten oder nicht. Er nahm kleinen Kindern ihr Fahrrad weg, bevor sie stürzen und sich verletzen konnten. Er riss Autofahrer aus ihren Autos, wenn er einen nahenden Unfall für sie voraussah. Er nahm Müttern Kinder weg, wenn er der Meinung war, sie wären schlechte Mütter und legte dann das Kind einem lieben Menschen in die Arme. Er leitete dubiose Geldtransaktionen direkt an das Finanzamt oder eine Wohltätigkeitsvereinigung um – unter voller Namensnennung des Senders. Er übernahm von Einbrechern die Beute und verteilte sie großzügig an Passanten. Er zerriss Lügenschleier, sodass niemand mehr einen anderen hinters Licht führen konnte.

Bibi hatte erkannt, dass überall und an jeder Ecke seine Hilfe vonnöten war. Und er düste hin und her und gab sein Bestes. Er war sich sicher, auf dem besten Weg zu sein, ein ganzer Guter zu werden. Seine Arbeit für Sarah hatte er bereits erledigt – die war unübersehbar glücklich.

Ungeachtet all dieser Vorkommnisse freute sich F4über alle Maßen, als sie endlich ihre Touristenreise zur Erde antreten konnte. Ihre Aufregung war groß. Leider hatte sie Anna nicht darüber ausfragen können, was sie dort wohl erwarten würde. Anna war längere Zeit nicht mehr bei ihr gewesen. Wie sich herausstellte, war Anna verliebt, verliebt in einen viel zu alten Jungen. Der war schon vierzehn, aber sooo süüüß. Doch was fragt die Liebe schon? Die beiden hockten jeden Abend auf einer Treppe, redeten miteinander und turtelten.

Endlich war es so weit. Das Lichtschiff lud die Reisenden ein und brachte sie zur Erde. Alle waren nochmals dringlich darauf hingewiesen worden, eng als Gruppe zusammen zu bleiben. Jeder sollte auf jeden achtgeben. F4 hatte sich für eine Städtereise entschieden. Das Lichtschiff landete auf einem Hochhaus. Die Passagiere wurden aufgefordert, quasi zum Eingewöhnen auf der Erde, die Treppen hinunterzugehen und nicht den Fahrstuhl zu benutzen oder womöglich gleich hinunter zu fliegen. Die Gruppe eilte als Energieeinheit die Treppen hinunter. Ein Mensch, der es vorzog, Treppen zu laufen statt den Fahrstuhl zu nehmen, prallte auf die Einheit, wurde zurückgeworfen und hätte sich übel verletzt, wenn die Passagiere ihn nicht sofort aufgefangen und aufgehoben hätten. Der Mann blieb noch lange sehr verwirrt. Für die Städtebummler war dies bereits ein toller Anfang ihrer Reise.

Sie betraten die Haupteinkaufsstraße und blieben erst mal staunend stehen. Unglaublich, wie viel verschiedene

Energien hier zusammentrafen! Jeder Mensch trug ein anderes Licht, eine andere Energie, manche angenehm, manche eher nicht.

F4 hatte sich absichtlich an den Rand der Gruppe bewegt, um ungehindert alles sehen zu können. Mit Erstaunen entdeckte sie, dass an sehr vielen Menschen eine nicht körpereigene Seele hing. Die klammerten sich an den Hals, das Bein, an Bauch oder Rücken des jeweiligen Menschen. F4 sah sogar einen Menschen, an dem gleich drei Seelen hingen. Eine steckte so tief in dem Menschen drin, dass nur der Kopf zu sehen war. Von der anderen waren nur die Arme zu sehen, und die dritte streckte den Kopf aus seinem Bauch. Die Seelen schienen auf den Menschen einzureden, und der Mensch reagierte auf sie. Seltsam, sehr seltsam!

Was taten diese Seelen hier? Warum machten sie das? F4 würde den Reiseleiter fragen müssen. Die Gruppe bewegte sich weiter, als ein starker Luftzug F4 aus der Gruppe zog und gegen einen ungewaschenen, unangenehmen Menschen knallte.

Bibi war gerade derart eifrig im Einsatz, dass er wie ein aufgeblasener, frisch angestochener Luftballon durch die Gegend düste. In der Eile hatte er F4 angerempelt.

F4 klebte jetzt also an diesem Menschen dran. Er stank, seine Energie war extrem gewöhnungsbedürftig, und er brüllte etwas in die Menschenmenge. Er hielt ein Plakat in der Hand, das F4 nicht lesen konnte, da sie diesem Typen auf dem Rücken klebte. Sofort eilte ihr die Gruppe zu Hilfe. Doch der Mann, der wohl die starke Gruppen-Energie spürte, wich ihnen ständig aus. Zum Glück düste Bibi wieder vorbei und drängte eine Mädchengruppe gegen den Mann. Bei dieser flüchtigen Berührung konnte F4 abspringen und sich an einem der Mädchen festhalten. Der Mann warf sein Plakat zur Erde, zertrampelte es, und murmelte vor sich hin: „Warum mach ich eigentlich diesen Scheiss?"

F4 zitterte vor Aufregung. Das Mädchen hatte eine vollkommen andere Energie, wesentlich erfreulicher. Doch F4 spürte, dass die äußere Erscheinung des Mädchens nicht mit deren Gefühlen übereinstimmte. Was war das? Was bedeutete das? Ach, die Menschen hatten so viele verschiedene Ausdrücke für ihre Gefühle. Da sollte sich einer auskennen! Aber darum war sie ja hier. Das Problem war, dass sie wieder zu ihrer Gruppe zurückmusste. Aber wie? Während sie noch überlegte, kamen zwei große, spielende Hunde gelaufen, die das Mädchen fast umgerempelt hätten. Dieser kleine Stoß reichte jedoch, um F4 von dem Mädchen zu lösen. F4 flog in hohem Bogen auf das Blumenbouquet des Hochzeitswagens von Sarah und ihrem frisch gebackenen Ehemann Sven. Was für eine Aufregung! Mittlerweile hatte F4 ihre Reisegruppe völlig aus den Augen verloren.

F4 spürte jetzt eine unglaublich angenehme Energie. Die war zwar auch in diesem Blumenbouquet schon enthalten, doch die Quelle waren definitiv Braut und Bräutigam. Wie angenehm! Hach, fühlte sich das gut an! Gern würde sie in direkten Kontakt mit der Braut kommen. Genau für so was hatte sie doch diese Reise unternommen!

Die Pferde kamen zum Stehen. Das Brautpaar stieg lachend aus dem Auto. Ja, das war es! Die Frau hatte diese sehr starke, einhüllende Energie. Das war dann wohl die Liebe. So fühlte sich das also an! Sarah ging vor zu den Pferden, um sie zu streicheln. Zuvor blieb sie an dem Blumenbouquet stehen, bewunderte es und streichelte über die

Blumen. F4 sprang sofort über und schmiegte sich auf Sarahs Rücken.

Das Brautpaar wurde jubelnd in einem Garten empfangen, der mit vielen Blumen aus den Nachbarschaftsgärten geschmückt war. Die Brautjungfer und andere Freundinnen servierten frisch hergestellte Limonade mit Eiswürfeln, die zu Ehren des Brautpaares hergestellt worden waren.

F4 staunte und genoss. Die Braut und auch F4 bemerkten, wie der Bräutigam mit der Brautjungfer einen verschwörerischen Blick austauschte. Dann eilten die beiden ins Haus. Aua. F4 meinte, ein Laserstrahl hätte sie durchbohrt, so heftig war das Gefühl. Die Braut erschauderte. Sarah schlich hinter den beiden her, ihr Herz schlug zum Zerbersten. Dann entdeckte sie die beiden in der Küche. Dicht standen sie voreinander. Seine Hände lagen auf ihren Armen, und sie blickten sich tief in die Augen. Sarah war schockiert und hielt den Atem an, sodass F4 meinte, sie würde erstarren. Dann blickten beide auf, sahen zu Sarah an der Tür. Sven ließ die Arme von der Brautjungfer und sagte zu Sarah: „Liebling. Komm mal her." Sarah stakste zu den beiden und hielt krampfhaft die Tränen zurück.

„Liebling, mein Hochzeitsgeschenk für dich ist nicht rechtzeitig eingetroffen. Sybille hat sich um alles gekümmert und meint, deine Überraschung müsste gleich eintreffen. Es hätte schon längst hier sein müssen, aber da ist etwas dazwischengekommen."

Lautes Rufen und Jubeln ließ die Anwesenden nach draußen blicken. Sven nahm seine Sarah bei der Hand und zog sie nach draußen. Sybille, die Brautjungfer, folgte. Ein Mann kam um die Ecke und zog etwas hinter sich her. Ein Pferd. Sven strahlte, beugte sich zu Sarah, küsste sie und sagte:

„Endlich ist es da! Das ist deins." F4 musste sich regelrecht in Sarah verkrallen, so sehr schüttelte es die Frau, als sie weinte und lachte und lachte und weinte. Aber dieses Gefühl war für F4 einfach überwältigend. Das war es also! So fühlte sich das an! Darum wollten die Erdlinge nicht zurück. Der Liebe wegen.

Sarah umarmte immer noch heulend und lachend ihren Mann, dann eilte sie zu dem Pferd. Die beiden sahen sich in die Augen und spürten, sie waren füreinander bestimmt. Das war Bibis Werk. Sein Tier der ersten Wahl, ein etwas nervöses, aber kräftiges Arbeitspferd namens Lotta, war von Bibi ins Bein gebissen worden, sodass es stark lahmte und keiner herausfinden konnte, warum. Das Tier der zweiten Wahl war ebenfalls ein Arbeitspferd, hörte auf den Namen Luzi und war ein ruhiges, besonnenes Pferd, das Bibis Meinung nach wesentlich besser zu Sarah passte.

F4 dachte nicht daran, so schnell aus dieser Energie auszutreten. Außerdem schaffte sie das ja auch gar nicht. Das redete sie sich jedenfalls ein, denn in einer starken Liebesenergie mit dieser hohen Frequenz wäre es für sie ein Leichtes gewesen, sich zu lösen. Fieberhaft überlegte sie, wie sie bleiben könnte. Da entdeckte sie den Bruder des Bräutigams. Der sah so … der war … also der … der hatte diese Augen … ja, sie könnte sich vorstellen, ein Weilchen mit ihm zu verbringen. Jetzt musste die Braut nur noch in seine Nähe kommen und ihn berühren, dann könnte sie ….

Bibi fühlte nach seinen vielen guten Taten nun doch leichte Erschöpfung. Er hatte alles gegeben, und es blieb noch so viel zu tun! Er war sicher, sich mit jeder guten Tat seinem Ziel, ein ganzer Guter zu werden, zu nähern. Jetzt aber brauchte er eine Verschnaufpause. Er suchte das Brautpaar auf, bei dem soeben das Pferd angekommen war. Zufrieden nickte er. Ja, auch das hatte er gut gemacht! Plötzlich entdeckte er F4 auf dem Rücken der Braut. Langsam näherte er sich ihr und raunte ihr zu, als könne sie sonst jemand hören: „Was machst du denn hier?" Freundlich aber bestimmt meinte er: „Du gehörst hier nicht her! Du solltest sehen, dass du nach Hause kommst."

F4 erschrak. Das war doch Bibi. Sicher, sie wollte sich wegen Lotta bei ihm sowieso mal bedanken, aber ihn mit Sicherheit nicht hier und jetzt treffen! Sie stotterte: „Ich bin mit einer Reisegruppe auf der Erde. Ich habe durchaus eine Genehmigung, hier zu sein."

„Und wo ist deine Gruppe?"

„Die suchen gerade nach mir. Ich bin versehentlich herausgeschleudert worden und komme hier nicht weg. Allein, meine ich. Also, ich komme allein hier nicht weg", beharrte F4.

Bibi blickte sie skeptisch an. Dann meinte er: „Ich bringe dich weg. Du kommst von D6? Dann bringe ich dich bis zur Grenze."

F4 überlegte fieberhaft, was sie antworten sollte, denn sie wollte keinesfalls jetzt schon wieder weg. „Das ist wirklich sehr nett von dir! Aber die Vorschriften der Gruppe besagen, dass man bleiben soll, wo man gerade ist. Dann könnten sie einen besser finden."

Bibi legte den Kopf schief und blickte F4 direkt an. Dann begann er: „Sag mal ...".

„Ja?"

„Ihr findet euch über die Signatur?"

„Ja, die Energiesignatur."

„Hm." Dann schwieg Bibi eine Weile.

„Du kannst jede Signatur erkennen?"

„Ja. Eigentlich ja. Warum?"

„Ähm … sag mal … ähm … was siehst du … ich meine beispielsweise bei mir?" Bibi musste unbedingt in Erfahrung bringen, ob er auf seinem Weg, ein ganzer Guter zu werden, Fortschritte gemacht hatte.

F4 schluckte. Dann meinte sie: „Ich sehe in dir diesen hell leuchtenden Kern. Das ist der Herzkern der Liebe. Du bist in Liebe, nicht wahr?"

Bibi errötete bis zu den Fußzehen. „Wenn du das so siehst … und man das so bezeichnen kann."

F4 fuhr fort: „Ich sehe bei dir sehr viele helle Lichtfunken. Das bedeutet, dass sich Licht in dir ausbreiten will. Aber es ist noch sehr viel von der roten und schwarzen Farbe in dir."

„Was heißt das?", gierte Bibi zu wissen.

„Hm. Eigentlich nur, dass du etwas ruhiger werden, dich nicht so viel aufregen solltest, nicht so schnell zornig werden, nicht so schnell beurteilen wollen, wer schlecht oder gut ist."

Bibi lauschte jedem Wort, denn es könnte den Weg nach D7 bedeuten.

„Bibi, ich sehe, dass du viel Gutes tust, schon getan hast. Ich wollte dir die ganze Zeit auch dafür danken, dass du für Lotta eine so gute Lösung gefunden hast. Sie war mein Sternchen, über das ich keine Kontrolle mehr hatte."

Bibi winkte ab. Das Thema Lotta kam bei ihm überhaupt nicht gut an.

Dann fügte F4 hinzu: „Ich glaube, dass hier der Schwerpunkt deiner Arbeit liegen könnte. Du glaubst nicht, was das für die Menschen und die Seelen bedeuten würde, wenn du hier helfen könntest. Das wäre genau das Richtige für dich."

„Und das wäre?", fragte Bibi zögerlich in der Befürchtung, weitere Lottas an den Hals zu kriegen.

„Ich habe gesehen, dass hier so viele verlorene und auch bösartige Seelen auf Menschen draufhängen und sie manipulieren. Wenn du die abziehen und ins Trauma-Zentrum führen könntest?"

Bibi wiegte den Kopf. Er überlegte. Ja, das waren diese Seelen, mit denen er früher immer mal wieder zusammengearbeitet hatte. Und wenn die jetzt Schuld daran waren, dass er nicht ein ganzer Guter werden könnte, na dann ... sie würden schon sehen, was ihnen dann passierte! Soweit ihm bekannt war, waren da keine Lottas dabei.

F4 riss ihn aus seinen Gedanken. „Du darfst aber eins dabei nicht vergessen: Du musst es aus Liebe tun."

Es fiel Bibi schwer, dieses Wort auszusprechen, aber er überwand sich: „Aus Liebe?"

„Ja. Du kannst sie hier bei dem Brautpaar spüren, die Liebe. Sie hat die höchste Frequenz. Mit Liebe kannst du überall hin."

Bibi hörte nur „überall", dann nickte er und meinte: „Dann mach ich das!" Mit diesen Worten verschwand er.

Erleichtert seufzte F4 auf. Sie würde die Braut dazu bewegen, Körperkontakt mit diesem wunderbaren, blauäugigen Mann mit den tollen, blonden Locken und dieser hinreißenden Figur in dem tadellosen Anzug mit den herrlichen Händen und den kleinen, süßen Grübchen im Kinn und dem erfrischenden Lachen aufzunehmen. Die Braut ging auf den Mann zu, reichte ihm die Hand, und F4 sprang hinüber.

Aus Liebe, sinnierte Bibi. Hm. Aus Liebe. Wie konnte er aus Liebe diese blöden, dämlichen Seelen einkassieren? Musste er sie lieben? Das war unmöglich. Dann fiel ihm ein, dass er aus Liebe zu Rudlinde diese Seelen einsammeln könnte. Aus Liebe zu Rudlinde. Er müsste bei seiner Arbeit also ständig an sie, seine Geliebte, seine Braut, denken. Dann wäre das doch aus Liebe! Die fragenden Worte „oder nicht" ließ er aus.

Er beschloss, die Seelen in Gruppen einzuteilen. In sieben Gruppen mit der Kennzeichnung R, U, D, L, I, N, D und E. Und jedes Mal, wenn er eine dieser Seelen einer Gruppe zuordnete, und den Buchstaben nannte, würde er an SIE denken müssen. Das gäbe ihm die richtige Stimmung. Es musste einfach klappen!

Vater und Sohn

Auch S1 hatte die Liebe erwischt. Seinen Schüler, dessen Erdennamen er immer noch nicht wusste, nannte er „mein Sohn". Der wiederum nannte ihn „mein Meister". Sie trafen sich regelmäßig zur Erdennacht, sprachen über technische Entwicklungen, elektronische Verknüpfungen, nie aber über Robins Erdenleben. Bei einem Treffen meinte Robin leichthin: „Weißt du Meister, hier oben ist alles so einfach. Hier lässt sich alles machen, was man denkt, und sofort setzt es sich um. Aber es ist schon etwas anderes, wenn man auf der Erde ist. Da hat man es mit Materie zu tun. Eine falsche Verbindung, eine unsaubere Verknüpfung, und nichts geht mehr! Aber ich gebe nicht auf. Es hat mir jemand mal gesagt: Der Geist beherrscht die Materie. Ich muss eben einfach nur dranbleiben!"

Was Robin mit diesen Worten bewirkte, konnte er nicht wissen. S1 hatte durch Robin seine Leidenschaft in der Entdeckung, der Entwicklung und der Herausforderung gefunden. Er bekam nicht genug davon. Herausforderungen – ja, das wollte er. Und er wollte die Herausforderungen annehmen und bewältigen. Mit Robins Worten über den Geist, der die Materie beherrscht, entstand in ihm der unwiderstehliche Drang, genau das zu erleben: Er wollte mit seinem Geist Materie beherrschen. Auf der Erde.

Nachdem beide noch eine Weile über ihren Plänen gesessen hatten, sagte S1 plötzlich zu Robin: „Sag mal ..."

„Ja?"

„Wenn ich ... also würde ich zur Erde ..."

„Ja?" Robin hatte keine Ahnung, worauf S1 hinauswollte.

„Ich könnte ja mal zur Erde und damit experimentieren", sagte S1 schließlich.

„Warum nicht?" Robin war etwas verwundert, dachte sich aber immer noch nichts dabei.

„Hm. Es ist nur so ...", S1 schwieg kurz, „ich muss dann ja einen Körper haben."

Robin sah ihn nun fragend an. Was wollte sein Meister sagen? Warum druckste er so merkwürdig herum?

S1 räusperte sich. Er sah Robin an und sein Herz für diesen wunderbaren jungen Mann erglühte. „Also wie gesagt, ich muss dann einen Körper haben, damit ich überhaupt mit Materie arbeiten kann."

„Das klingt logisch."

„Hast du etwas dagegen, wenn ich deinen mal für kurze Zeit benutze?" Hastig fügte er hinzu: „Wenn du hier oben bist und an den Plänen arbeitest, dann könnte ich doch mal kurz in deinen Körper, um überhaupt ein Gefühl für die Materie zu bekommen."

„Na dann viel Spaß", sagte Robin bitter. Laut sagte er: „Warum nicht?"

S1 bedankte sich herzlich und kündigte an, gleich am nächsten Erdenabend seine Reise in den Körper zu machen. Er brauchte nur Robins Energieschnur folgen, dann wäre er dort.

So geschah es am nächsten Abend. Kaum war Robin eingetroffen, klopfte ihm S1 wohlwollend auf die Schulter und eilte höchst aufgeregt der Schnur nach. Er erschrak und erschauderte, als er in Robins Krankenzimmer eintraf. Dieses Zimmer kannte er. Das war doch Robins Zimmer! Sein

Sohn war Robin! Tiefe Schmach überkam ihn. Schuldgefühle übermannten ihn. Aber nun war er hier. Langsam ließ er sich in Robins schlafenden Körper gleiten. Himmel und durchlöcherte Galaxie, war der schwer! So also fühlte sich Materie an. Nun galt es, diese Materie zu bewegen, doch sie widersetzte sich ihm. Das durfte nicht sein! Er rief sich die Worte ins Gedächtnis: Der Geist beherrscht die Materie. S1 strengte sich an, sammelte all seine Energie, um diesen Körper zu bewegen. Es gelang ihm nicht. Gern hätte er geweint, doch das konnte er nicht. Was hatte er seinem Sohn nur angetan! Wie konnte er das wiedergutmachen? Sein Herz schwoll an vor Liebe zu diesem wunderbaren Menschen, seinem Sohn. Noch ein Versuch, es musste einfach gelingen! Und es gelang. Langsam, erfüllt von grenzenloser Liebe, hob er Robins Oberkörper an, bis er aufrecht im Bett saß. Dann schob S1 Füße und Beine über die Bettkante, ließ den ganzen Körper herausgleiten, bis er aufrecht stand. Der Körper wackelte, wollte nicht recht, sodass S1 Robins Hand sich am Bettgeländer festhalten ließ. Jetzt war es der Geist, der die Materie beherrschte, als S1 den schlafenden Robin im Zimmer herumlaufen ließ. Aber es war die Liebe, die alles bewegt.

Die Krankenschwester, die zufällig vorbeikam und durch das kleine Fenster schaute, erstarrte. Fast wäre sie in Ohnmacht gefallen, als sie den schlafenden Robin durch das Zimmer laufen sah. Das war unmöglich, das konnte einfach nicht sein! Da Robin unverkennbar schlief, wagte sie nicht, ihn zu wecken. Sie rannte den Flur zurück und holte den Notarzt. Und beide sahen, wie der Körper sich unsicher durch das Zimmer bewegte, zum Fenster ging, sich auf einen Stuhl setzte, schwerfällig aufstand, zum Tisch ging, und er dort stehend auf seinem Notebook herumtippte. Über eine Stunde tappte der Körper im Zimmer herum, bis er sich schließlich wieder ins Bett legte, sich zudeckte, fast liebevoll, wie es schien. Und dann war der Spuk zu Ende.

Dies war definitiv ein medizinisches Phänomen!

S1 hatte noch nie eine derartige Flut unterschiedlicher Gefühle erlebt. Er war stolz, traurig, schämte sich und war glücklich. Er blieb noch ein paar Stunden in dem Körper liegen und liebkoste ihn.

Am nächsten Morgen äugte die Krankenschwester vorsichtig in Robins Zimmer. Der war wach und sah sie fröhlich an. „Guten Morgen, Vera!"

„Guten Morgen, Robin. Wie geht es Ihnen heute?"

„Danke. Gut."

„Gut geschlafen?"

„Ja, es war eine ruhige Nacht. Wüsste ich es nicht besser, würde ich sagen, dass ich Muskelkater habe", dann lachte er.

Vera lachte gezwungen mit. Sie wollte Robin nicht auf seinen nächtlichen Ausflug ansprechen.

Mia stürzte ins Zimmer, tapste zu Robins Bett, küsste ihn, schneller und heftiger als sonst. Verwundert sah er, wie sie zum Fenster ging und hinausschaute.

„Robin, komm mal ganz schnell her! Was ist das?"

Reflexartig hob Robin seinen Oberkörper an, ließ die Beine aus dem Bett gleiten, stand auf und wackelte unsicher zu Mia. „Was ist los? Ist etwas passiert?"

Mia nahm seinen Arm und sagte leise: „Robin, du bist eben aufgestanden. Du stehst."

„W-a-s?", und sank im gleichen Augenblick zu Boden.

Sofort eilte die Schwester herbei, um ihn aufzuheben und ins Bett zu legen, doch Robin stammelte: „Stuhl, auf einen Stuhl."

Mia und Vera halfen Robin vorsichtig auf einen Stuhl. Robin schüttelte den Kopf. Er hob den linken Arm, dann den rechten, hob erst ein Bein, dann das andere. Alles kein Problem. Er konnte sich bewegen! Robin zitterte am ganzen Leib. Schweiß trat ihm auf die Stirn. „Wie ist das möglich?", flüsterte er.

Mia hockte vor ihm, ihre Hände hielten seine, dann erzählte sie: „Letzte Nacht, als ich bei meiner Ausbildung war, schauten wir zu dir. Und da sah ich, dass du im Zimmer herumgelaufen bist. Ich dachte, ich träume. Aber ich sah dich wirklich. Während du geschlafen hast, bist du aufgestanden und im Zimmer rumgelaufen. Mehr als eine Stunde lang. Dann hast du dich wieder hingelegt. Ich wollte jetzt wissen, wie real das wirklich ist. Und fragte mich, ob du, wenn ich dich spontan rufen würde, auch spontan aufstehen könntest. Und du bist aufgestanden!"

Robin lachte und heulte und heulte und lachte. Mia ebenfalls.

Für die Liebe

F4 fühlte sich so glücklich wie nie. Dieser Mensch, auf dessen Schultern sie jetzt saß, ging aufmerksam durch sein Gewächshaus, betrachtete die Pflanzen, die Sprösslinge, horchte, als würde er deren Sprache verstehen, holte eine Gießkanne, schaufelte ein wenig Erde zur Seite, lüpfte ein Blatt und sah darunter. Und ständig sprach er mit ihnen. Ab und zu summte er auch ein Lied. Dabei vibrierte sein ganzer Körper. F4 genoss diese wohlig angenehme Energie. Der Mann, dessen Alter sie nicht schätzen konnte, hatte eine Lieblingspflanze, einen großen, prächtigen Ficus-Baum. Wenn er bei ihm stand, verstärkte sich die Wohligkeit ungemein. Er sprach mit dem Baum, streichelte die Blätter, besprühte sie mit Wasser. Und der Baum antwortete. F4 konnte das leise Säuseln des Baums nicht verstehen, doch der junge Mann nickte und lächelte. Der Baum erwiderte die empfangene Energie mit der ihm eigenen Energie in gleicher Stärke. F4 staunte. Das wollte sie auch! Sie wollte auch hier auf der Erde mit Pflanzen arbeiten, sie wollte sich wie der junge Mann mit ihnen austauschen, deren Sprache lernen und verstehen. Das fand sie gut. Sollte sie vielleicht bei diesem Mann bleiben, mehr von ihm lernen? Der Gedanke gefiel ihr. Warum also zurück? Hatte Anna ihr nicht damals gesagt, man müsse sich nur selbst ermächtigen?

Während sie noch träumend ihren Gedanken nachhing, wurde sie heftig erfasst und davongetragen. Ihr schwanden die Sinne. Und bevor sie wusste, wie ihr geschah, fand sie sich in einem energetischen Gehege wieder. Sie erkannte ein großes Schild mit dem Buchstaben „E". Ein Wesen inspizierte seine Beute und zählte sie durch.

„Bibi", rief F4 erschrocken, „was machst du hier?"

„Ach, du bist das! Was machst du denn hier?"

„Du hast mich mitgenommen. Du hast mich einfach geholt! Warum?", protestierte F4.

„Entschuldige, da ist mir wohl in der Eile ein Fehler unterlaufen. Wo willst du denn hin?"

„Wo ich hinwill?!", schrie F4. „Ich wollte bleiben, wo ich war!"

„Oh."

„Ja, oh! Und wie komme ich jetzt zurück?"

„Ich dachte, du wärst von D6."

„Ja, aber da will ich nicht mehr hin. Ich wollte dableiben, von wo du mich geholt hast."

„Oh."

„Bring' mich bitte augenblicklich zurück."

„Tut mir leid, ich kann mich gerade nicht mehr daran erinnern, wo ich dich aufgelesen habe."

„Warum machst du das eigentlich?"

„Du bist vielleicht komisch! Du selbst hast mir doch gesagt, dass ich die verlorenen Seelen von der Erde holen soll. Genau das mache ich."

„Aber ich bin keine verlorene Seele", protestierte F4.

„Kann ja mal vorkommen. Aber ich kann mich wirklich nicht erinnern, wo ich dich hergeholt habe."

„Was soll eigentlich das E?"

„Das ist der letzte Buchstabe von Rudlinde. Das E bedeutet „Ende", weil dies die letzte Gruppe ist. Alle anderen habe ich schon einkassiert." Stolz errötete Bibi.

F4 schüttelte den Kopf. Sie hatte keine Chance, zu dem jungen Mann zurückzufinden. Ob sie wollte oder nicht, sie würde nach D6 zurückkehren müssen. Aber eines war gewiss, sie würde wieder zur Erde reisen. Dort war es wirklich zu schön! Das Erdenleben machte süchtig. Plötzlich kam ihr die rettende Idee.

„Sag mal", begann sie vorsichtig, „du kommst doch viel herum."

„Ich bin schnell wie der Teufel, bin überall gleichzeitig, höre und sehe alles. Was willst du wissen?"

„Da gibt es doch Menschen, deren Körper lebt, aber deren Seele schon gegangen ist."

„Ja und?"

„Weißt du zufälligerweise, wo so einer ist? Das würde mich mal interessieren."

„Och, da gibt es einige. Komm auf den Punkt. Was willst du?"

„Du willst doch immer Gutes tun, nicht wahr?"

„Komm auf den Punkt!"

„Ich stelle mir gerade vor, dass ich eventuell in so einen Körper gehen könnte, damit wieder Leben hineinkommt."

Bibi blickte sie schräg von der Seite an: „Sag doch gleich, dass du tricksen willst!"

„Nein", sagte F4 gedehnt, errötete jedoch.

„Ach weißt du, wenn ich erst wieder oben bin, wird es schwierig, wieder hier runter zu kommen. Und ich möchte doch so gern mehr über die Menschen wissen! Hilfst du mir? Ich werde auch ein gutes Wort bei Rudlinde für dich einlegen."

Dieses Argument zog. „Vorher guckst du aber noch mal, ob dieses ... dieses Schwarze weniger geworden ist. Und lüg mich bloß nicht an!"

F4 konzentrierte sich und betrachtete Bibi. Dann klatschte sie in die Hände: „Bibi, du hast echt große Fortschritte gemacht! Diese letzte Aktion der Seeleneinsammlung war richtig gut für dich."

Bibi strahlte. „Was meinst du, sollte ich als Nächstes tun?"

„Wenn ich es mir so recht überlege, könntest du den Engel der Heimkehr mal ansprechen. Er wird doch bestimmt die Seelen suchen, die zwar noch am Körper kleben, aber doch schon weg sind."

„Gute Idee, mach ich. So, dann komm, Kleine, lass uns mal ein paar dieser Körper suchen."

Neues Leben

Bibi und F4 brauchten nicht lange zu suchen. Den ersten Körper fanden sie in dem Krankenhaus, in dem Robin gerade seine Gehversuche machte. Dort lag ein junges Mädchen seit vielen Monaten im Koma. Doch die Angehörigen gaben die Hoffnung nicht auf, sie könne wieder aufwachen. Die Ärzte dämpften diese Hoffnung jedoch ständig, weil die Gefahr eines irreparablen Gehirnschadens beim Erwachen sehr groß sei. Die Angehörigen trauerten um den eventuellen Verlust des Körpers, an die Seele dachten sie nicht.

F4 blickte in das feine, blasse Gesicht des Mädchens. Wie alt mochte sie wohl sein? Ein Schild am Bett gab Auskunft „Eleonore Schwindt, 18.6.1997". Sie war noch so jung! Aber auch kein Kind mehr. F4 konzentrierte sich wieder und folgte der energetischen Schnur des Mädchens. Sie entdeckte sie im Kultur-Zentrum der Astralwelt. Es sah nicht aus, als würde Eleonore zurückkommen wollen, sie schien ausgesprochen glücklich dort zu sein, wo sie war. Aber warum verließ sie dann nicht vollkommen den Körper? F4 erhielt die Antwort: Eleonore wolle ihren Eltern die Hoffnung nicht nehmen, sie nicht enttäuschen, weil sie doch eigentlich Tänzerin werden wollte.

F4 entschied sich spontan, in diesen Körper zu schlüpfen. Später würde sie zu Eleonores Seele Kontakt aufnehmen, und um deren Erlaubnis bitten. Bibi schaute zu, wie die Seele von F4 in den Körper schlüpfte.

„Und? Wie geht es dir?", fragte er Anteil nehmend.

„Es ist komisch. Auf der einen Seite ist es hier so ruhig, auf der anderen Seite fühle ich Eleonores Tanz."

„Kommst du allein zurecht?"

„Ja, vielen Dank, Bibi. Du bist wirklich ein Schatz!"

Bibi grunzte zufrieden und verschwand.

Es war wohl die Mutter, die in diesem Moment am Bettrand des Mädchens saß. Sie streichelte die Hände des Körpers, dann zog sie einen Stuhl heran, holte ein Buch aus ihrer Tasche und begann vorzulesen. F4 veranlasste die Augen, sich zu öffnen. Die Mutter bemerkte es noch nicht. Erst, als sich eine Hand des Körpers zum Arm der Mutter vortastete, unterbrach die ihr Vorlesen und schaute auf ihre Tochter. Dann schrie sie.

Sofort eilten alle von der Station zu dem Zimmer, um nachzusehen, was passiert wäre. Auch Robin hörte den Schrei. Seine Muskulatur erforderte noch eine Gehhilfe, sodass er etwas später als die anderen das Zimmer erreichte Es freute ihn ungemein, dass das Mädchen aus dem Koma erwacht war. Zwar sah er das Licht um sie herum, machte sich darüber jedoch keine Gedanken.

Mia würde gleich kommen. Er wollte ihr entgegengehen.

Mia erschien ihm völlig verändert, als sie sich langsam durch die Tür tastete. Er würde sie bald mit seinen Plänen überraschen können, das elektronische Board zumindest theoretisch fertiggestellt zu haben. Aber was war los mit Mia? Ging es ihr nicht gut? Hatte sie ein schlechtes Erlebnis? Robin sah sie vorerst nur fragend an. Gemeinsam gingen sie in Robins Zimmer. Es dauerte nicht lange, bis Mia mit der Sprache herausrückte: „Rob, ich habe lange nachgedacht. Aber jetzt weiß ich, was ich will. Du brauchst mich hier nicht, du kommst jetzt allein klar. Aber wenn ich drüben bin, du weißt schon, ist für mich alles so viel leichter. Ich kann sehen. Und ich sehe Farben, wie ich sie hier nie sah, ich höre Musik, wie ich sie hier nie gehört habe. Ich bin dort frei, vollkommen frei. Und alle sind so lieb zu mir. Ich kann dort arbeiten – besser, als ich es hier jemals konnte."

Sie machte eine kleine Pause und konnte Robins Gesicht natürlich nicht sehen. Er war leichenblass geworden, seine Hände, die die ihren hielten, wurden nass, Schweiß stand auf seiner Stirn. Mia fuhr fort: „Robin, ich liebe dich, das weißt du, aber wenn du mich wirklich liebst, so richtig liebst, dann verstehst du das, und dann lässt du mich gehen. Vielleicht bleibe ich ja nur für kurze Zeit dort. Aber ich muss da eine Weile sein. Ich habe gelernt, wie ich meinen Körper mitnehmen kann, da muss ich ja nicht gleich sterben. Was sagst du? Du kannst ja mitkommen."

Robin erhob sich abrupt, drehte sich um, so als ob sie sein Gesicht nicht sehen sollte. Er biss sich in seine Faust, er verkrampfte sich, kämpfte um die Worte, die er nur mit größter Mühe aussprechen konnte: „Dann musst du das tun!"

Robin nahm seine Gehhilfe und verließ den Raum. So schnell er konnte, kämpfte er sich in den Empfangsraum und dann nach draußen in den Park. Dort schrie er nur ein einziges Wort: „Nein!"

S1 erschauderte. Er litt wie ein Tier. Das konnte diese Mia ihm doch nicht antun! Eben war er noch glücklich gewesen, eben noch hatte er große Zukunftspläne gehabt, eben noch war er voller Vorfreude, ihr dieses in langer Arbeit konstruierte Board präsentieren zu können – und jetzt? Das hatte sein Sohn nicht verdient. S1 wand sich. Er war so sehr eins geworden mit Robin, seinem Sohn, dass er diesen Schmerz nicht ertragen konnte. Er musste eine Lösung finden, er musste Robin helfen. Heilige Galaxie, der Junge wäre imstande, dem Engel der Heimkehr die Arbeit abzunehmen! Das durfte er nicht zulassen. Er brauchte einen Körper. Sofort! Er musste als Mensch ein Retter in der Not sein, musste körperlich werden, sonst ginge das nicht. Dieser Schmerz, den Robin jetzt schon wieder zu erleiden hatte, brauchte eine irdische Lösung.

Er holte sich seinen Monitor, blätterte in Aufzeichnungen und suchte. Er suchte nach jemandem – so genau wusste er es auch nicht. Aber er würde so lang nicht ruhen, bis er etwas gefunden hatte, was gut, richtig gut war.

Nein, es war nicht einfach geworden, es hatte eine ganze Weile gebraucht, bis er die wahrscheinlich beste Lösung gefunden hatte. Robin hatte einen Onkel, den er zuletzt in seiner Kindheit gesehen hatte. Der Kontakt der Familien war aus irgendeinem Grund abgebrochen, sodass Robin sich kaum noch an den Onkel erinnern konnte. Die Tante war vor Kurzem gestorben und der Onkel zerbrach beinah an dem Verlust seiner geliebten Frau. Ja, die beiden hatten sich wirklich geliebt. Der Onkel lebte nun allein in einem großen Haus, und war dabei, sich und sein Leben aufzugeben. Zu dem Haus, direkt am Meer, gehörte eine Werkstatt, die Robin als kleiner Junge geliebt hatte. S1 musste den Onkel kontaktieren!

Dort oben, in D6, gab es kaum, also wenig, also so gut wie gar keine Geheimnisse. Natürlich hatte S1 mitbekommen, dass F4 sich in einen Körper eingeschlichen hatte. Zwar in Absprache, aber es war nicht im Sinne der kosmischen Ordnung. S1 wischte den Gedanken weg. Ordnung hin, Ordnung her, er hatte Dringlicheres zu tun, als sich um Ordnung zu kümmern! Und was F4 konnte, das konnte er auch.

S1 wartete die Nacht ab. Der Onkel saß im Halbschlaf auf einem Sessel. Er konnte nicht mehr schlafen, seit seine geliebte Friedel gegangen war. Immer meinte er, sie zu hören oder zu sehen. Oder beides. Er wartete immer, ob sie sich wieder zeigen würde. Er vermisste sie schmerzlich. Da hörte er eine Stimme: „Hallo, Franz, du kennst mich nicht, aber ich kenne dich."

„Bist du der Tod? Kommst du mich endlich holen?"

„Nein, ich bin nicht der Tod. Ich brauche deine Hilfe. Aber dafür kann ich dir auch etwas geben. Ich kann dich tagsüber zu deiner Friedel bringen, dafür möchte ich in deinem Körper leben. Ich muss unbedingt deinem Neffen helfen. Er braucht meine Hilfe, so, wie ich jetzt deine Hilfe brauche."

„Das … das glaub ich nicht."

„Du kannst mir glauben. Und du kannst mir vertrauen. Wenn du möchtest, können wir gleich deine Friedel besuchen. Möchtest du?"

„Ja", rief Franz.

„Dann komm." S1 hob Franz vorsichtig aus seinem Sessel und trug ihn in die astrale Welt. Friedel stand am Eingang des großen Begrüßungsparks. Sie entdeckte ihren Franz, und beide fielen sich in die Arme, drückten sich, küssten sich und blieben in ihrer Umarmung stehen.

S1 hielt sich diskret im Hintergrund. Aber es drängte ihn, sein Ja-Wort zu bekommen. Er berührte Franz sanft am Arm: „Franz, darf ich deinen Körper tagsüber benutzen?"

„Ja, ja, du kannst ihn auch nachts haben, ich will ihn nicht mehr. Ich habe hier meine Friedel. Mehr will ich nicht, mehr brauche ich nicht!"

Bevor Franz ausgesprochen hatte, war S1 verschwunden und schob sich bereits in den alten Körper. Zum Glück konnte er auf die Intelligenz der Zellen zugreifen, sodass er sich nicht alles an Tätigkeiten und Wissen neu aneignen musste. Sofort machte er sich daran, Robin einen Brief zu schreiben:

Lieber Robin, wir haben lang nichts voneinander gehört. Das ist sehr schade. Jetzt, nachdem meine geliebte Friedel von mir gegangen ist, umso mehr. Ich lebe allein in einem großen Haus mit der Werkstatt, die du doch so gemocht hast. Es war Friedel und mir in diesem Leben nicht vergönnt, eigene Kinder zu haben. Deshalb habe ich einen Vorschlag: Es wäre mir eine große Freude und auch Entlastung– das muss ich ehrlich gestehen– wenn du zur mir kommen könntest, falls dir das möglich ist. Ich weiß ja nichts von deinem Leben. Ich habe dich ja nur als kleinen Bub gesehen. Wenn du verheiratet bist und Kinder hast, sind deine Frau und Kinder natürlich hier ebenfalls herzlich willkommen. Das Haus ist ja groß genug. Bitte rufe mich an und lasse mich wissen, wie du darüber denkst. Dein Onkel Franz

Dieser Brief erreichte Robin über Ben. Robin fragte sich nicht, wie Onkel Franz an die Adresse gekommen war. Aber sein Leben war ja auch schon wieder auf den Kopf gestellt worden. Und jedes Mal war es schlimmer als vorher. Sein Kummer übertraf alles, nur nicht den Kummer von S1. Der litt noch weit mehr. Er verzehrte sich nach seinem Sohn, nach der Arbeit mit ihm. Und da er nun einen Körper bewohnte, fühlte er den Schmerz in ganz besonderem Maße.

Natürlich hatte Ben gehört, dass Mia für einige Zeit, so hieß es, weggegangen sei. Auch er konnte ihre Entscheidung nicht nachvollziehen, hatten sie doch öfter darüber gescherzt, nun eine Doppelhochzeit zu machen. Er tat, was er konnte, um Robin zu trösten, war sich jedoch im Klaren darüber, dass ihm das nicht gelingen würde. Auch die Nachricht, dass die Versicherung des Unfallverursachers eine hohe Summe bezahlen musste, war kein Trost. Robin fragte nur, wozu das jetzt noch gut sein solle. Ben drängte ihn, den Brief zu lesen. Robin las, seine Hand zitterte leicht, dann reichte er das Schreiben wortlos an Ben weiter. Der las den Brief, und ein Lächeln machte sich auf seinem Gesicht breit.

„Rob, das ist das Beste, was dir passieren konnte! Und wenn da eine Werkstatt ist, glaub mir, es gibt so viele Menschen, die nicht sehen können, die dringend deine Erfindung brauchen könnten. Tu es für diese Menschen! Und wer weiß, vielleicht kommt Mia ...". Ben unterbrach seinen Satz, als Robin heftig abwinkte.

Zögerlich begann Ben erneut zu sprechen: „Ich halte es für das Beste, wenn du gleich deinen Onkel anrufst. Sag ihm, dass du kommst. Ich bringe dich zur Bahn. Viel Gepäck hast du ja nicht. Das müsste klappen."

Robin war alles gleichgültig. Was spielte das denn noch für eine Rolle? Nichts, absolut nichts! Sollte Ben doch machen, was er wollte. Ihm war es egal.

Es ist gut

S1 alias Franz tigerte durch das Haus, erforschte jede Ecke, ohne jede Neugier, nur zur Information. Die Unruhe trieb ihn in die Werkstatt, um das Haus herum, runter ans Meer. Er blätterte in Fotoalben und fand ein Foto, das seinen Sohn im Kreis der ganzen Familie zeigte. Was für ein wunderbares Kind! Alles schnürte sich in ihm zusammen. Sein Liebeskummer und seine Sehnsucht nach Robin waren grenzenlos. Endlich schrillte das Telefon. S1 räusperte sich, bevor er das Hallo sagte. Ben war am Apparat. Ben berichtete von Robin, dessen derzeitigem Zustand und sagte: „Ich werde ihn morgen in den Zug setzen. Könnten Sie ihn am Bahnhof abholen? Er kann ja noch nicht so gut laufen."

Das Herz von S1 platzte schier vor Freude. Es hatte geklappt! Sein Sohn würde kommen! Nun musste er Vorbereitungen treffen. Alles sollte ordentlich sein. Wie ging das mit dem Putzen? Das war jetzt nicht wichtig. Wichtig war, dass die Werkstatt alles bot, was sich Robin nur wünschen könnte. Forschend näherte er sich einem alten Motorrad, drückte an einigen Hebeln herum, dann setzte er sich drauf. Er musste in einem Baumarkt ein paar Dinge kaufen, um damit Robin genügend Material hatte, um das Board für Mia zu bauen. Denn er wusste bereits, dass Mia zurückkehren würde …

Ein Nachbar näherte sich ihm, erstaunt über die plötzliche Vitalität des Alten: „Moin, Franz."

„Moin, moin, Hinnert."

„Na, was hast du vor? Willst du die Karre in Gang bringen?"

„Nö. Mal sehn. Muss morgen meinen Neffen vom Bahnhof abholen. Er kann grad nich so richtig laufen."

„Wann kommt er? Ich fahr mit der Kutsche hin. Dann klappt das."

S1 nickte dankend. Dann schnappte er sich das Fahrrad und fuhr zum Markt. Das Motorrad würde er später weiter inspizieren. Und er hatte auch schon einen Plan, das alte Motorrad so umzubauen, dass es ohne irgendwelche Treibstoffe fuhr. Darauf freute er sich schon.

Während für Robins Entlassung aus dem Krankenhaus alles fertiggemacht wurde, trafen im Zimmer drei Türen nebenan ständig neue Besucher ein. Eben kam ein junger Mann mit einem lieblichen, kleinen Blumenstrauß in der Hand und schob sich verstohlen ins Zimmer von F4. Die Genesung dieser jungen Frau ging erstaunlich schnell. Die Muskulatur ließ zwar noch einiges zu wünschen übrig, aber ihr Geist war hellwach. F4 blickte zur Tür und riss die Augen auf. Das war doch dieser wunderbare, tolle, süße, niedliche Mann von der Gärtnerei! Seine Augen strahlten wie tausend Sterne. Er ging vorsichtig, als wolle er nichts zerstören, zum Bett. Sah F4 da Tränen in seinen Augen? Ja! Und er wollte sie auch gar nicht verbergen. Er beugte sich zu ihr vor, ergriff ihre Hand und drückte ihr einen leichten Kuss auf die Lippen.

F4 war genau dort angekommen, wo sie sein wollte. Hier, in einem Körper, mit diesem Mann, bei dem sie hatte sein und bleiben wollen. Sie war bis über beide Ohren verliebt.

Niemand würde sich Gedanken darüber machen, ob und warum diese junge Frau sich an einiges nicht erinnern konnte, warum sich ihre Vorlieben vielleicht geändert hatten. Alles war gut und sogar besser, als jeder erwartet und sich gewünscht hatte. Das Leben war gut. Ein Leben mit Liebe noch besser.

Willenlos hatte sich Robin von Ben in den Zug setzen lassen, als Gepäck nur seinen Rucksack mit dabei. Er starrte aus dem Fenster, ohne etwas zu sehen, und fragte sich, warum das Leben eigentlich so fürchterlich mit ihm spielte. Was hatte er getan, um das zu verdienen? War er der typische Pechvogel? Hatte er kein Glück verdient? Warum? Warum? Warum?

S1 stand zitternd vor Aufregung auf dem Bahnhof. Nachbar Hinnert wartete mit der Kutsche. Endlich kam Robin an. Mühsam trat er die Stufen aus dem Waggon runter, aber schon war S1 zur Stelle, um ihm zu helfen und den Rucksack abzunehmen.

„Robin, ich bin dein Onkel Franz", er umarmte Robin nur kurz, damit es auf keinen Fall übertrieben und unangebracht wirken konnte.

Es dauerte ein paar Tage, bis Robin „angekommen" war. Sein Onkel war sehr warmherzig und fürsorglich und schien ihm förmlich die Wünsche von den Augen ablesen zu wollen. Robin hatte nur sehr vage Erinnerungen an ihn, war jetzt aber aufs Angenehmste überrascht. Mehr und mehr ließ er das Gefühl zu, ein Zuhause und in seinem Onkel einen wunderbaren Freund gefunden zu haben. Seine Anspannung löste sich von Tag zu Tag. Und niemand war glücklicher darüber als S1 alias Franz.

Um Robin Zeit und Raum zu lassen, sich einzugewöhnen, traf er sich abends mit seinem Freund Hinnert. Sie hockten schweigend auf einer Bank vor dessen Haus, tranken „'n

Bier un' lütten Korn", rauchten Pfeife. Die letzten Sonnenstrahlen wärmten die Haut, bis die Sonne am Horizont hinterm Meer verschwunden war. Leise rauschten die Wellen und der Wind umspielte sanft die Haut. Die letzte Amsel sang ihr Abendlied, und es gab keinen Ort, an dem S1 jetzt lieber gewesen wäre als hier.

Äußerst ungern war er seiner Pflicht nachgekommen, sich mit dem wirklichen Franz in Verbindung zu setzen. Ordnungsgemäß fragte er ihn, ob und wann er wieder seinen Körper benutzen wolle, doch Franz umklammerte nur noch fester die Hand seiner Friedel, winkte ab und meinte: „Kannste behalten."

Das war es, was S1 hatte hören wollen. Jetzt konnte er beruhigt zu Robin in die Werkstatt gehen. Der arbeitete an einem Surfbrett, so wie er es als Kind bei seinem Onkel gelernt hatte. Robin brachte es nicht über sich, an dem Board für Mia zu arbeiten, denn sein Herz schmerzte noch zu sehr nach deren Weggang. In der Werkstatt hingen überall, wo es Lücken gab, Urkunden, Fotos und Dankschreiben von begeisterten Surfern, die die hervorragende Arbeit von Franz lobten. Denn Franz hatte in seinen guten Zeiten seine Surfbretter in die ganze Welt verschickt. Und nun beschäftigte sich Robin unter Anleitung seines Onkels mit einem neuen Surfbrett.

Wie zufällig sagte Franz: „Ich geh mal rüber. Ich hab da was Neues angefangen."

Robin sah fragend auf. In der hinteren Ecke der Werkstatt war er nie gewesen.

„Was?"

„Och, ich hatte da mal ein Erlebnis mit jemandem, der schlecht sehen kann und wohl blind wird."

Das versetzte Robin einen Stich ins Herz, den S1 sofort wahrnahm. Deshalb beeilte er sich zu erklären: „Mir kam die Idee, ein Board für Blinde zu bauen, das elektronisch funktioniert, also die Augen ersetzt, selbst die Umgebung erkennt und spricht."

„Was? Du auch?"

„Warum sagst du ,auch'?"

„Als ich im Krankenhaus war, habe ich mich auch damit beschäftigt." Robin wollte nicht von Mia sprechen.

„Ach! Und wie hast du dir das vorgestellt?"

„Warte, ich hole mein Notebook. Ich zeig dir das."

Kurz danach hingen beide Köpfe über Robins Plänen. Robin staunte. Sein Onkel hatte fast die gleiche Idee gehabt. Er konnte ja nicht wissen, dass S1 absichtlich seinen Plan in einigen Details geändert hatte, damit es nicht zu auffällig war. Und Franz hatte auch bereits Materialien eingekauft, um es zu bauen. Teils widerstrebte es Robin zwar, seine alten Entwürfe umzusetzen, doch der Erfindergeist war stärker. Nun machten sich beide mit Feuereifer ans Werk.

Helfer wider Willen

„Kann mir einer mal sagen, was hier eigentlich los ist? Hab ich was verpasst, hab ich da was nicht mitgekriegt?"

Äußerst aufgebracht stürmte der Engel der Heimkehr auf IZZI, dem Vorsitzenden des Krisenrates, zu: „So kann ich nicht arbeiten. So geht das nicht! Ich habe ..."

Seine Rede wurde von einer wunderschönen Gestalt unterbrochen, die sich in diesem Moment IZZI näherte: „Liebling, wir müssen uns beeilen. Auf der Erde sind sie immer pünktlich. Wir werden uns verspäten!"

Offensichtlich sehr erleichtert über diese Unterbrechung, sagte IZZI in entschuldigendem Ton zum Engel der Heimkehr: „Lass uns später darüber reden. Du siehst ja ... gesellschaftliche Verpflichtungen!" Dann drehte er sich zu der Schönen um und meinte: „Ja, mein Schatz, ich komme ja schon."

Und der Engel der Heimkehr sah die beiden davon schweben, IZZI im Smoking mit Kummerbund und silberfarbenen Fliege, echt gebunden, und die Schöne in einem lichtgelben Abendkleid. Der Engel der Heimkehr blieb sprachlos zurück. Ja spinnen die denn jetzt alle?! Sogar IZZI hatte derzeit offenbar nichts Besseres zu tun, als auf der Erde an einem gesellschaftlichen Event teilzunehmen! War denn jetzt alles auf den Kopf gestellt? War er der letzte Idiot, der hier noch ganz normal seiner Arbeit nachging?

Derartiges hatte es bisher nicht gegeben.

Niedergeschlagen lief er los, ohne Ziel, wollte einfach nur laufen. Er stieß auf einen wunderschönen, großen Baum.

Einen Feigenbaum. Er setzte sich nieder und lehnte sich an den Stamm. Er musste verschnaufen und nachdenken.

Ein Augenpaar schielte um den Stamm: „Na? Auch ne kleine Pause?"

Der Engel der Heimkehr drehte sich um und entdeckte Bibi. „Ach du bist es, Fürst."

„Ja. Ich muss mal verschnaufen. Hab viel gearbeitet in letzter Zeit, weißt du."

„Hm."

„Und du?"

„Auch."

Der Engel der Heimkehr drehte sich jetzt doch zu Bibi um. „Sag mal ...", dann schwieg er.

Nach einer längeren Pause fragte Bibi: „Was?"

„Was ‚was'?"

„Du hast doch eben gesagt: sag mal. Was soll ich denn sagen?"

„Ach so. Ach, weißt du ...", dann schwieg der Engel der Heimkehr wieder.

Bibi hätte nicht behauptet, gern in Gesellschaft des Engels der Heimkehr zu sein. Er sah in dem Engel eher so etwas wie einen Wettbewerber. Oft hatte er den Engel bei dessen Arbeit beobachtet. Das war so ein blutleerer, höflicher Typ, der kompromisslos seiner Tätigkeit nachging. Wie ein Uhrwerk arbeitete der! Ob der jemals gelacht hat? Der Typ war so knochentrocken, dass er beim Gehen wahrscheinlich schon staubte. Dem müsste man mal Feuer unterm Hintern machen, damit der ein bisschen lockerer würde! Aber dann könnten ja diese wunderschönen, lichtvollen, heiligen Federchen ansengen. Und das ginge keinesfalls.

Bibi blickte zu dem Engel der Heimkehr rüber und sah nur noch einen Haufen Federn. Der Engel hatte den Kopf gesenkt und seine Flügel über sich ausgebreitet. Es sah erbärmlich aus, eines Engels der Heimkehr nicht würdig. Das war selbst für Bibi zu viel. Deshalb sprach er ihn an: „Was ist denn los, E-e-e ...?"

Himmel war es teuflisch schwer, dieses Wort auszusprechen! Aber er war doch inzwischen ein Guter, dann müsste es doch gehen. Er konzentrierte sich, dann platzte es aus ihm heraus: „En-gel." Wer sagte es denn, ging doch! Noch mal: „Sag doch, E-engel, was ist los?"

Aus dem Federbett hob sich ein Kopf. Ein paar kleine Federn hatten sich im Haar verfangen. Der Engel sah einfach lächerlich aus. Der hingegen schien mit Bibi keinerlei Berührungsprobleme zu haben. Langsam begann er zu erzählen, und offenbarte sich dem Fürsten der Finsternis: „Weißt du, in letzter Zeit habe ich unglaubliche Probleme bei meiner Arbeit. Du weißt, dass ich meine Arbeit sehr ernst nehme. Nichts darf schief gehen. Aber in letzter Zeit ...".

„Weiter", forderte ihn Bibi auf.

„Also in der letzten Zeit passiert es immer öfter, dass ich eine Seele abholen will, und die ist nicht da. Stell dir das vor!"

Der Engel ereiferte sich jetzt mit jedem Wort. „Da komme ich hin, stelle mich vor, wie es Vorschrift ist, und dann kommt raus, dass die Seele irgendwo ist ... zum Beispiel im Körper steckt einer von D5, D6 und sogar von D7. Stelle dir das mal vor! Ich frage also, wo die sind, und keiner der D-ler gibt mir Auskunft. Gerade erst gestern wieder passiert. Da wollte ich eine Seele holen und entdecke diesen … diesen S1 in dem Körper. Und weißt du, was der gemacht hat? Der hat mich noch nicht mal angesehen, hat sich einfach umgedreht, seine Pfeife genommen, angesteckt und sich auf eine Bank gesetzt. Der hat mich einfach abblitzen lassen! Und heute wollte ich endlich mal Klarheit, was ich mit solchen Fällen machen soll, gehe also zu IZZI, und der lässt mich auch abblitzen! Sagt einfach, er hätte gesellschaftliche Verpflichtungen auf der Erde! Ich versteh' das alles gar nicht mehr! Noch nie habe ich einen Körper umgebracht, solange ich existiere, und ich habe auch nicht vor, so etwas je zu tun. Das ist doch Sache der Seele selbst. Die muss doch ihren Körper so verlassen, dass er vergehen kann. Das ist nicht mein Job. Ich habe alle Vorschriften durchgelesen. Da ist nichts, was mir sagt, was ich tun soll! Das hat es doch früher nicht gegeben!"

Bibi hörte nur zu, sagte aber nichts.

Der Engel fuhr sichtlich aufgeregt fort: „Und dann kommt noch was dazu: Immer öfter kann ich nur Teile der Seele heimführen. Da fehlen ganze Brocken und Splitter. Du verstehst? Seelensplitter fehlen. Ist es denn in Ordnung, wenn ich nur unvollständige Seelen nach Hause bringe? Was ist mit den Splittern? Die gehören doch dazu!"

Bibi schluckte, sagte aber immer noch nichts.

Nun blickte ihn der Engel an: „Fürst, du kennst dich doch mit so was aus. Ich will mal eine Ausnahme machen und keine Seele nach Hause holen. Ich möchte einfach mal wissen, wo all die Splitter sind."

Oh. O-oh. Oh nee! Bibi war zutiefst erschrocken. Seelensplitter! Bedeutete das etwa ... nein, auf keinen Fall ... er würde doch nicht ...

Es war nämlich so: Bibi verfügte über eine geradezu teuflische Sammlung hochwertiger und außergewöhnlicher Seelensplitter. Sollte er nun ... musste er die etwa auflösen? Das war doch seine Notration, seine stille Reserve für schlechte Zeiten, sein Notgroschen! Niemand wusste davon, denn er hatte sie außerordentlich gut versteckt. Musste er sich jetzt von seiner Sammlung trennen? Nein, das wollte er nicht! Andererseits, wenn er auf dem Weg war, ein ganzer Guter zu werden, dann ... fieberhaft überlegte er: Was war richtig, was konnte er tun? Hieß es nicht, jeder solle authentisch sein, seinem wahren Selbst folgen? Aber welcher Teil war jetzt authentisch? Der Bibi, der er vor der Zeitrechnung Rudlinde war, oder der, in der er jetzt ein ganzer Guter wurde? Bibi steckte in einem Dilemma. Tief in seinem Herzen rief er aus Leibeskräften: Rudlinde! Aber er wäre nicht Bibi, wäre ihm nicht eine Lösung eingefallen – ohne jetzt schon seine stille Reserve auflösen zu müssen.

„Fürst!"

„Ja."

„Hilfst du mir?"

„Na klar."

„Dann komm, lass uns losgehen. Zeig mir, wo ich suchen muss!"

Bibi hatte den Plan, den Engel dorthin zu führen, wo so üble Kreaturen wie seine Untermieter am Werk waren. Da hätte der Heimkehrer, wie Bibi den Engel insgeheim nannte, erst mal genug zu tun. Bibi ging voraus.

„Fürst, wo führst du mich eigentlich hin? Ich will hier keine Sightseeing- oder Städtetour machen!"

„Wart ab, du wirst schon sehen." Und dann erklärte Bibi dem Heimkehrer, wo sie hingingen und wo er dann suchen müsse.

„Wo bring ich dann die Splitter hin?"

„Das Trauma-Zentrum hat eine Such-Abteilung. Die kümmern sich darum."

„Das ist gut!"

Sie erreichten ein weltberühmtes Gebäude.

„Hier?", fragte der Heimkehrer erstaunt.

„Ja, genau hier. Ich führ dich zu dem Raum, bleib aber dann draußen und halte Wache." Dann setzte er nach: „Das ist hier ratsam!"

Dieser dämliche Heimkehrer stellte das nicht infrage und kam überhaupt nicht auf den Gedanken, dass Bibi sich fürchten könnte. Er doch nicht! Doch!!

Bibi kannte selbstverständlich jede der Ecken, in denen sich diese üblen Kreaturen versteckten und ihren Tätigkeiten nachgingen. Er verhielt sich immer noch nach einem Ehrenkodex, die aber nicht. Er vergriff sich nicht an Kindern, die aber schon.

Im dritten Untergeschoss dieses Gebäudes, in einem Tunnel nach mehreren Abzweigungen, erreichten sie eine Tür: „Da! Da musst du rein. Ich halte hier draußen Wache."

Der Heimkehrer nickte, öffnete die Tür und trat ein. Bibi ließ die Tür einen Spalt geöffnet, damit er hineinspähen konnte. Gerade in diesem Moment sah er eine dieser Kreaturen, die einem Kind einen Seelenanteil herauszog. Andere lebende Kinder hockten zusammengekauert in einer Ecke.

Und was Bibi jetzt zu sehen bekam, korrigierte das Bild, das er bisher vom Engel der Heimkehr gehabt hatte. Gründlich. Der Engel begann zu glühen, gab einen Ton von sich, der in den Ohren derart schmerzte, dass es einen fast umbrachte. Es kam ein Quietschen und Pfeifen, ein dunkler Ton, der in Mark und Bein drang. Die Kinder in der Ecke hielten sich die Ohren zu. Aber die Reaktion der Kreaturen war gewaltig: sie schmolzen, platzten, schrumpften. Keine überlebte.

Der Engel der Heimkehr führte die vollkommen verstörten Kinder aus diesem Raum, und wäre dabei fast über Bibi gestolpert. Der lag ohnmächtig vor der Tür. Behutsam hob ihn der Engel hoch und trug ihn hinaus, hinter ihm die Kinder. Mit Bibi auf den Flügeln brachte der Engel die Kinder in eine Kirche und übergab sie dem Pastor. Wenn Bibi das bewusst erlebt hätte, wäre er wahrscheinlich gestorben …

Danach brachte der Engel Bibi wieder zu dem Feigenbaum und legte ihn dort ab. Dann eilte er davon, um weiter seiner neuen Aufgabe nachzukommen.

Rudlinde erschien, wenn auch nicht ganz freiwillig. Sie streichelte Bibis Wange und flüsterte ihm zu: „Bibi, du hast gute Arbeit geleistet. Ganze gute. Danke!" Dann huschte sie so schnell wie möglich weg. Das Thema Lotta hing ihr noch nach.

Bibi hatte sie gehört. Seine Rudlinde hatte ihn gestreichelt. Und sie hatte „ganzer Guter" gesagt. Das hatte sie doch gesagt! Ooooh!!!

Bibis Dilemma bezüglich der Seelensplitter in seiner Sammlung war noch nicht ganz gelöst. Freunde hatte er nicht, lediglich Mitarbeiter. Er musste mit jemandem reden. Aber mit wem? Ihm kam F4 in den Sinn. Sie war so rein, so hell. Und sie nahm ihn ernst.

Er besuchte sie in der Nacht. Kaum war er an ihrem Bett, erwachte F4.

„Bibi, was machst du denn hier?"

„Och, ich wollte nur mal sehen, wie es dir geht."

Man sah ihr an, dass sie ihm nicht glaubte. Sie konnte man nicht anlügen. Aber sie lächelte selig und sagte: „Stell dir vor, ich bekomme ein Baby."

Ups, das ging aber schnell! F4 beeilte sich, ihm noch zu erklären: „Ich habe zuerst Eleonore gefragt, ob sie etwas dagegen hat. Sie war damit einverstanden und freut sich sogar mit mir. Ist das nicht wunderbar? Aber jetzt sag, warum bist du gekommen?"

Bibi druckste zuerst ein wenig herum, dann erzählte er von seinem Dilemma. F4 hörte zu und unterbrach ihn nicht. Erst, als er fertig war, fragte sie: „Von wem sind denn diese Splitter?"

Bibi zählte auf. Es waren Splitter von den berühmtesten Persönlichkeiten, verstorbenen und lebenden.

„Bibi, das ist ja schrecklich! Die hast du alle?"

Betreten nickte Bibi.

„Die darfst du nicht freilassen. Die musst du unbedingt festhalten. Stell dir vor, die würden bei diesem Chaos, das wir gerade haben, wieder auf die Erde gehen, oder sich an jemanden dranhängen. Dann wäre es vorbei mit dem Frieden. Hörst du, halt die bloß fest, und sag es niemandem! Wenn es wieder ruhiger geworden ist, also später, müsste man beim Großen Rat mal nachfragen, was mit ihnen werden soll."

Wer nachfragen sollte, blieb ungeklärt. Keine Nachricht hätte für Bibi schöner sein können als diese. Er war hocherfreut. Er durfte seine Sammlung behalten, und damit war er auch noch besonders gut. Irgendwie war das alles ja schon verrückt! Nun konnte er sogar wieder dem Heimkehrer assistieren – ohne jede Art von schlechtem Gewissen.

Er wünschte F4 aufrichtig alles Gute und verschwand.

Glücklich

Robin arbeitete gerade an einer Platine, als er ein Geräusch hörte, das ihn an Schluchzen erinnerte. Es hörte nicht auf. Er drehte sich um in der Annahme, es sei vielleicht ein Kätzchen in einer Zwangslage. Dann sah er zwischen zwei Kisten kauernd – Mia! Er konnte es nicht glauben. Langsam ging er auf sie zu. Sie sah zu ihm hoch, mit völlig verweinten Augen, stand auf und kam nun ihrerseits auf ihn zu. Ohne Blindenstock.

„Rob, Rob, ich kann nicht ohne dich sein. Ich kann nicht! Nachdem ich von dir weggegangen bin, habe ich nur noch an dich gedacht. Ich konnte an nichts anderes mehr denken. Ich liebe dich! Ich konnte dort oben keine Farben mehr sehen, keine Musik hören, weil ich ununterbrochen an dich denken musste. Ich liebe dich so sehr, und ich weiß nicht, ob du mir verzeihen kannst.“

Als sie voreinander standen, sagte sie: „Rob, ich k…“.

Robin verschloss ihren Mund mit zarten Küssen, sodass sie nicht weitersprechen konnte. Dann umarmten sie sich. Lange. Sehr lange.

S1 beobachtete die beiden. Sein Herz glühte vor Freude. Sein Sohn war wieder glücklich. Und somit auch er. Vielleicht gab es einen Hauch von Eifersucht, aber es war wirklich nur ein Hauch. S1 nahm eine Flasche Korn, seine Pfeife, und ging zu seinem Freund Hinnert. Sie würden heute noch lange auf Bank sitzen. Das Glück war vollkommen.

Noch lang kein Ende

„Ich muss!"

„Halt an, meine Liebe, halt an!"

„Ich muss aber jetzt. Dringend!"

„Gleich, gleich, ich bin gleich so weit, dann kannst du."

Mutter Erde drehte, so schnell sie konnte, die andere Seite der Erdkugel der Sonne entgegen.

„Jetzt, liebe Schwester, jetzt kannst du."

Und im gleichen Augenblick entließ die Sonne einen enorm starken Flare der Erde entgegen. Nur diesmal traf es die andere Seite der Erde, denn Mutter Erde wollte auf keinen Fall, dass es immer die gleichen Menschen traf.

„Liebe Schwester, danke, dass du durchgehalten hast. Du hast mir wirklich damit einen großen Gefallen getan", dankte Mutter Erde der Sonne.

Die lächelte matt. Das Anhalten hatte sie enorme Kraft gekostet.

Sie fliegen wieder

„Lass das!"

„Was?"

„Tu es nicht!"

„Was denn?"

„Du weißt genau, was ich meine."

„Ich habe keine Ahnung, wovon du redest."

HMM drehte sich geschickt zur Seite, damit HHH seine Hände nicht sehen konnte. Aber HHH blickte ihn weiter misstrauisch an.

„Du hast doch was vor!", meinte HHH.

„Ja, da hast du recht. Ich werde jetzt eine Inspektion der neuen Galaxie durchführen. Das hab ich vor." Und schnell huschte er davon, die Hände, die er vorher hinter dem Rücken verborgen hatte, nun vor sich haltend.

HHH schüttelte den Kopf. Da stimmte doch was nicht! In der neuen Galaxie lief alles bestens. Viele Neuankömmlinge hatten sich hervorragend eingefunden. Sie führten ein Leben in vollkommener Harmonie. Sie lebten in paradiesischen Verhältnissen, sie lebten faktisch im Paradies. Es gab keinerlei Klagen, sie hatten alles, was sie brauchten. Sie waren kreativ, sie waren fröhlich und glücklich. Was also wollte HMM da jetzt inspizieren? Überhaupt zeigte HMM seit dem Projekt Sandkorn ein merkwürdiges Verhalten. Er schien irgendwie verjüngt, lebhafter, vergnügter. War da etwas Besonderes vorgefallen?

HMM hüpfte fröhlich zur neuen Galaxie und trällerte eine kleine Melodie. Wie lang war es her, dass er so einen Spaß gehabt hatte! Und das ließe sich ja vielleicht wiederholen. Auf der Erde hatten die Sandkörner doch recht lustige Wirkungen erzielt ... Wie oft hatte er lachen müssen!

Und während HMM noch still vor sich hinkicherte, drückte er automatisch die energetischen Lichtkörperchen in seiner linken Hand zu kleinen Klumpen zusammen.

Dann betrachtete er das friedvolle Leben in der neuen Galaxie. Die Heiterkeit dort inspirierte ihn dazu, noch ein paar Tanzschritte zu machen. Dabei klatschte er freudig in die Hände.

Was war das? Das waren doch ... waren das nicht Sandkörnc...........

Oh, Entschuldigung, eben blieb

ein Sandkc c rn in der Tastatur hccen

Mehr über die Autorin

Maria M. Eckert wurde in Süddeutschland geboren, hat in Texas, Rendsburg, Bremen, Aachen, Frankfurt, Nürnberg und Essen gearbeitet und gelebt. Derzeitige Station: ein Dorf in der Nähe von Frankfurt/Main. Sie ist Anfang 70 und noch gut zu Fuß unterwegs.

Lesen ist für sie absolute Lebensnotwendigkeit. Etwa alle 20 Jahre kann sie nicht widerstehen, dann schreibt sie selbst. Im Mittelpunk steht für sie dabei immer der Mensch - und zwar als geistiges Wesen: Wo kommen wir her, warum sind wir hier, was soll das eigentlich alles? Sie ist neugierig darauf, was uns im und durch das Leben laufen lässt - und was nicht. Schnuppert in möglichst viele Bereiche hinein und nimmt mit, was ihr und uns hilft, voranzukommen. Ihr Ziel ist stets, sich selbst besser kennenzulernen und so zu akzeptieren, wie sie eben ist: einfach göttlich. Im Umkehrschluss, auch alle anderen Menschen so anzunehmen, wie sie eben sind: einfach göttlich.

2018 schrieb sie „Im Auge der Zukunft" – einen aufregenden Roman über die Wandlung eines Mannes vom skrupellosen Finanzspekulanten zu einem Menschen, der die Welt lebenswerter macht.

Weitere Bücher sind in Bearbeitung, zum Beispiel „Die Zukunft im Jetzt". Erscheint demnächst.

CPSIA information can be obtained
at www.ICGtesting.com
Printed in the USA
BVHW032351140419
545514BV00001B/336/P

9 783748 235996